**FRANÇAIS**
Armelle Vautrot

**MATHÉMATIQUES**
Jacques Dessources

**ANGLAIS**
Marie-Claire Sole

**HISTOIRE-GÉOGRAPHIE**
Éric Zdobych

**SCIENCES ET TECHNOLOGIE**
Mathilde Grégoire

## Pour aller plus loin, une sélection de

**à découvrir avec l'application gratuite Nathan Li**

**Avec ton Smartphone ou ta tablette :**

1. Télécharge gratuitement l'application Nathan Live ! sur l'Apps ou le Google Play Store.
2. Ouvre l'application et scanne la page lorsque tu vois le logo live!
3. Visionne la vidéo qui s'affiche instantanément sur ton écran.

Nathan est un éditeur qui s'engage pour la préservation de l'environnement et qui utilise du papier fabriqué à partir de bois provenant de forêts gérées de manière responsable.

# Sommaire

# Sommaire PAR MATIÈRE

**Teste-toi** avant de commencer



## Français



## Maths



## Anglais



## Histoire-Géographie

### Histoire



### Géographie



## Sciences et technologie



## Bilans

# Teste-toi avant de commencer

## Français

**1 Souligne la phrase qui est conjuguée au présent de l'indicatif.**

a. Le hobbit aime la couleur verte.
b. Fais bien attention !

1 /1

**2 Coche le verbe au présent qui convient.**

Le grand héros ... sur lui.

☒ veille ☐ veillent ☐ veilles

1 /1

**3 La forme correcte du verbe *prendre* au présent de l'indicatif, à la 1re personne du pluriel, est :**

☐ prendrons
☐ prenons
☒ prennons

0 /2

## Maths

**4 Entoure le chiffre**

des dizaines dans 7 3 6 , 1 2 8
des dixièmes dans 3 2 , 8 9
des millièmes dans 6 5 8 0 , 0 0 7
des centièmes dans 7 3 6 , 1 2 8 4

3 /4

**5 Écris les nombres correspondant aux graduations.**

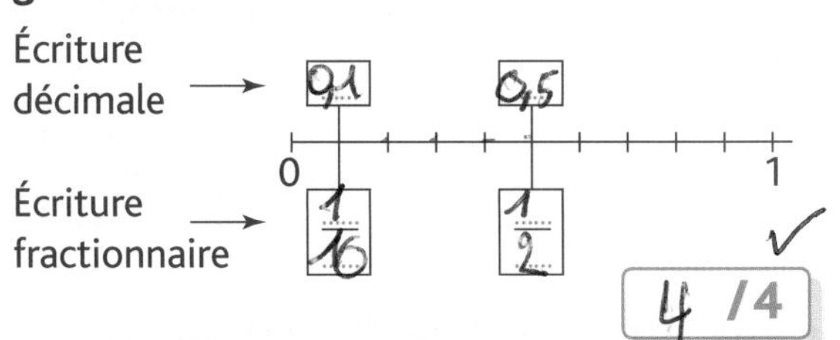


4 /4

## Anglais

**6 Coche la forme correcte de *be*.**

My name ......... Greg.

☐ am ☒ is ☐ are

2 /2

**7 Dessine les aiguilles sur l'horloge.**

It's nine o'clock.

2 /2

## Histoire

**8 *Néolithique*, ça veut dire :**

☒ âge de la pierre nouvelle
☐ âge de la pierre ancienne
☐ âge de la pierre moyenne

2 /2

## Géographie

**9 Quelle est la bonne définition d'une métropole ?**

☒ Une grande ville.
☐ Une ville très peuplée qui concentre les pouvoirs de commandement.
☐ Plusieurs très grandes villes.

0 /2

**Ton score** 15 /20

correction @ p.106
(Sequence 1)

# Qu'est-ce qu'un Hobbit ?

• Conjuguer au présent de l'indicatif

Mais qu'est-ce que les Hobbits ? Je pense que de nos jours, une description est nécessaire, vu la raréfaction[1] de leur espèce et leur crainte des Grands, comme ils nous appellent. Ce sont (ou c'étaient) des personnages de taille menue, à peu près de la moitié de la nôtre, plus petits donc que les nains barbus. Les Hobbits sont imberbes[2]. Il n'y a guère de magie chez eux que celle, tout ordinaire et courante, qui leur permet de disparaître sans bruit et rapidement quand de grands idiots comme vous et moi s'approchent lourdement, en faisant un bruit d'éléphant qu'ils peuvent entendre d'un kilomètre. Ils ont une légère tendance à bedonner[3] ; ils s'habillent de couleurs vives (surtout de vert et de jaune) ; ils ne portent pas de souliers, leurs pieds ayant la plante faite d'un cuir naturel et étant couverts du même poil brun, épais et chaud, que celui qui garnit leur tête et qui est frisé ; ils ont de longs doigts bruns et agiles et de bons visages, et ils rient d'un rire ample et profond (surtout après les repas, qu'ils prennent deux fois par jour quand ils le peuvent). Et maintenant vous en savez assez pour la poursuite de notre récit.

J. R. R. TOLKIEN, *Bilbo le Hobbit*,
© Librairie générale française, 1937.

## VOCABULAIRE

1. **Raréfaction :** fait de devenir plus rare.
2. **Imberbes :** qui n'ont pas de poils.
3. **Bedonner :** avoir du ventre.

### Coup de pouce

**Modifier le radical au présent**

▶ Les verbes en ***-guer*** gardent le ***u*** à la 1re personne du pluriel ;
*fatiguer → nous fatiguons*

▶ Certains verbes en ***-ger*** gardent le ***e*** à la 1re personne du pluriel ;
*mélanger → nous mélangeons*

▶ Les verbes en ***-eler*** et ***-eter*** s'écrivent avec un ***accent grave*** devant un **e** muet :
*épousseter → il époussète*
*peler → on pèle*

Seuls ***appeler***, ***jeter*** et leurs composés prennent ***ll*** et ***tt*** devant un **e** muet.
*jeter → elle jette ;*
*appeler → on appelle*

## Compréhension

**1 Vrai (V) ou faux (F) ? Entoure la bonne réponse.**

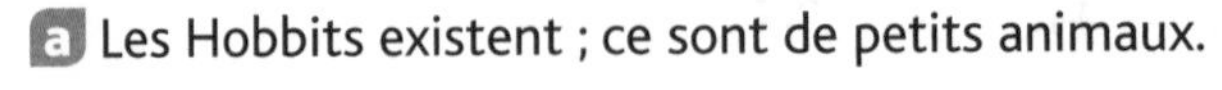

a Les Hobbits existent ; ce sont de petits animaux. V F

b Les Hobbits ont un pouvoir magique : ils sont capables de disparaitre. V F

**2 Pourquoi le narrateur doit-il décrire le Hobbit ?**

☐ Le Hobbit habite dans une région française que l'on connait peu.
☒ Le Hobbit est une espèce en voie de disparition. ✓

## Conjugaison

**3** **Quel est le temps utilisé pour la description dans ce texte ?**

.................................................................................

**4** **Relève les verbes en couleur dans le texte et classe-les selon leur infinitif.**

| 1er groupe | 2e groupe | 3e groupe et autres |
|---|---|---|
| .................... | .................... | est |
| .................... | .................... | .................... |
| .................... | .................... | .................... |
| .................... | .................... | .................... |

**5** **Souligne les trois verbes au présent et conjugue-les.**

L'enfant qui rencontre un Hobbit dans la forêt peut avoir peur. Pour le rassurer, le Hobbit lui prend la main.

| Verbe 1 : .......... | Verbe 2 : .......... | Verbe 3 : .......... |
|---|---|---|
| Je .......... | Je .......... | Je .......... |
| Tu .......... | Tu .......... | Tu .......... |
| Il .......... | Il .......... | Il .......... |
| Nous .......... | Nous .......... | Nous .......... |
| Vous .......... | Vous .......... | Vous .......... |
| Ils .......... | Ils .......... | Ils .......... |

**6** **Parmi les propositions suivantes, coche le verbe conjugué au présent.**

**a** Le plus grand ennemi du Hobbit ........................ l'ogre.

☐ est resté ☐ reste ☐ restera

**b** Les trolls ........................ les Hobbits qui s'aventurent sur leurs terres.

☐ puniraient ☐ punirent ☐ punissent

**c** Le héros ........................ trouver de l'aide auprès des Hobbits.

☐ pourra ☐ a pu ☐ peut

## LE COURS

### Emplois du présent de l'indicatif

Le présent de l'indicatif permet d'exprimer :

– des faits **au moment où ils se déroulent** ;
*Il prend son petit-déjeuner.*

– des faits **répétés** ;
*Bilbo se promène tous les jours.*

– une **vérité générale** ;
*Les hommes sont toujours méfiants devant l'inconnu.*

– une **description** ;
*Son visage est rond et joufflu.*

– des faits situés dans un **futur** ou un **passé proches**.
*Il arrive à l'instant mais repart très bientôt.*
(à l'instant : passé proche ; très bientôt : futur proche)

### Conjugaison du présent de l'indicatif

| | |
|---|---|
| **Verbes du 1er groupe** | je trouv-*e*, tu trouv-*es*, il trouv-*e*, nous trouv-*ons*, vous trouv-*ez*, ils trouv-*ent* |
| **Verbes du 2e groupe** | je fin-*is*, tu fin-*is*, il fin-*it*, nous fin-*issons*, vous fin-*issez*, ils fin-*issent* |
| **être et avoir** | *être → je suis, nous sommes* *avoir → j'ai, nous avons* |
| **Verbes irréguliers du 3e groupe** | *aller → je vais, nous allons* *faire → je fais, nous faisons* *dire → je dis, nous disons* *prendre → je prends, nous prenons* *pouvoir → je peux, nous pouvons* *voir → je vois, nous voyons* *venir → je viens, nous venons* *vouloir → je veux, nous voulons* |

CORRIGÉS → p. 106

live! Nathan

# La grande fête du sport

- Les nombres décimaux
- Les fractions décimales

## 1 Les Jeux olympiques

Tous les quatre ans, les Jeux olympiques d'été sont suivis par près de deux milliards de téléspectateurs, dont environ vingt-millions de Français. En 2008, les JO se sont déroulés en Chine, pays d'environ 1 341 000 000 habitants. En 2016, ils ont eu lieu au Brésil, pays d'environ 8 515 000 km².

**a Écris en lettres ces nombres entiers :**

- la superficie du Brésil (en km²) : huit-millions - cinq-cent-quinze-milles
- la population de la Chine : un-milliard trois-cent-quarante et un-millions

**b Écris en chiffres :**

- le nombre total de téléspectateurs regardant les JO : 2 000000000
- le nombre de téléspectateurs français : 20 000 000 .

## 2 Un nouveau record du monde ?

**a** En 2000, le coureur cycliste anglais Chris Boardman a parcouru 49,441 km en une heure, établissant un nouveau record mondial.

**Complète deux façons de lire le nombre 49,441.**

49,441 se lit 49 unités et 441 millièmes

49,441 se lit aussi 49 unités 4 dixièmes 4 centièmes et 1 millièmes

**b** En 2005, voulant battre le record de l'heure, le cycliste tchèque Ondrej Sosenka a parcouru 49,7 km.

**Compare les distances 49,7 km et 49,441 km puis coche la bonne réponse.** 49,441 < 49,7

Pour comparer ces deux nombres, tu peux les écrire avec 3 décimales.

Donc Ondrej Sosenka ☒ a battu le record.
☐ n'a pas battu le record.

**Comparer des nombres décimaux**

- $a < b$ se lit « $a$ **est inférieur à** $b$ ».
- $b > a$ se lit « $b$ **est supérieur à** $a$ ».
- **Pour comparer** deux nombres décimaux, on compare leurs parties entières :
  – si elles sont identiques, on compare les chiffres des dixièmes ;
  – s'ils sont aussi identiques, on compare les chiffres des centièmes...

  *Il est souvent utile d'écrire les deux nombres à comparer avec autant de décimales l'un que l'autre.*


CORRIGÉS → p. 106

## 3 Tous sur le podium !

Voulant imiter les champions d'athlétisme, Julie, Marion et Damien se défient au saut en longueur : ils sautent respectivement à 2,9 m, 2,325 m et 2,38 m.

**a Écris ces nombres avec autant de décimales que dans 2,325.**

2,9 = 2,900 ........ 2,38 = 2,380 ........

**b Compare leurs performances puis place leurs initiales sur le podium.**

2,325 < 2,38 < 2,9

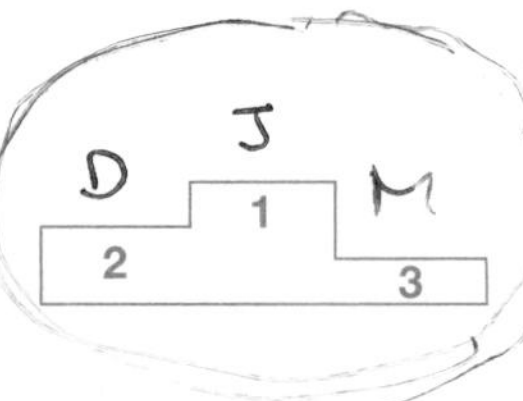


## 4 Comme un poisson dans l'eau !

En avril 2015, le Britannique Adam Peaty nagea les 100 m brasse à la vitesse moyenne de 6,21 km/h, établissant ainsi un nouveau record du monde. En juillet 2016, l'Australienne Cate Campbell a battu le record du monde du 100 m nage libre féminine en nageant à la vitesse moyenne de 6,915 km/h.

**a Écris ces vitesses à l'aide de fractions décimales.**

$6{,}21 = 6 + \frac{2}{10} + \frac{1}{100} = \frac{621}{100}$

$6{,}915 = 6 + \frac{9}{10} + \frac{1}{100} + \frac{5}{1\,000} = \frac{6915}{1\,000}$

**b Écris les fractions sous la forme de nombres décimaux.**

$\frac{4\,750}{100} = 47 + \frac{5}{10} + \frac{0}{100} = 47{,}50$

$\frac{5\,552}{100} = 55 + \frac{5}{10} + \frac{2}{100} = 55{,}52$

### DÉFI VACANCES

**Qui suis-je ?**

Je suis un nombre décimal à 5 chiffres.
Mon chiffre des dixièmes est 1, celui des dizaines est 4.
Mon chiffre des centièmes s'obtient en ajoutant celui des dixièmes et celui des dizaines.
Mon chiffre des unités est le double de celui des dizaines.
Mon chiffre des millièmes est 9.
Mon tout est le record du monde féminin de l'heure établi par la cycliste française Jeannie Longo en 1996 !

**Découvre la position des 5 chiffres, puis place la virgule au bon endroit.** 42,15

42,159

## LE COURS

### Définition

▶ Un nombre est **décimal** s'il peut s'écrire avec une **virgule** et un nombre fini de chiffres (on ne compte pas les zéros à droite de la partie décimale, ou à gauche de la partie entière).

*Attention :* un nombre entier est aussi un décimal.

*2 008 = 2 008,0.*

▶ La signification de chaque chiffre dépend de sa **position** dans le tableau.

| Partie entière | | | | | | | | | | | | Partie décimale | | |
|---|---|---|---|---|---|---|---|---|---|---|---|---|---|---|
| milliards | | | millions | | | milliers | | | C | D | U | **d** | **c** | **m** |
| | | | | 1 | 5 | 2 | 6 | 0 | 4 | 3 | 7, | 8 | 5 | 9 |

*15 260 437,859 se lit 15 **millions** 260 **mille** 437 **unités** et 859 **millièmes**.*

### Dixièmes, centièmes, millièmes

Dans le tableau, les dixièmes sont désignés par **d**, les centièmes par **c** et les millièmes par **m**.

*3,14 se lit 3 unités 1 **dixième** et 4 **centièmes** ou 3 **unités** et 14 **centièmes**.*

### Écrire un nombre décimal à l'aide des fractions décimales

$0{,}1 = \frac{1}{10}$ et se lit 1 dixième.

$0{,}01 = \frac{1}{100}$ et se lit 1 centième.

$0{,}001 = \frac{1}{1000}$ et se lit 1 millième.

$7{,}859 = 7 + \frac{8}{10} + \frac{5}{100} + \frac{9}{1000}$

$7{,}859 = 7 + \frac{859}{1000} = \frac{7859}{1000}$.

CORRIGÉS ➜ p. 106

# Paragliding in Malibu!

| Information |
|---|
| Operates daily |
| **Location:** Los Angeles |
| **Region:** California |
| **Duration:** approximately 5 hours |
| **Time:** Tour departs at 11:00 AM. |
| **Starts:** Paragliding lessons start at approximately 11:00 AM. Please check in 15 minutes before your lesson! |
| **Ends:** Lesson ends approximately 5 hours after start time. |

- *Be* au présent
- L'heure

## VOCABULAIRE

**paragliding:** parapente
**operate:** fonctionner
**daily:** tous les jours
**duration:** durée
**approximately:** approximativement, à peu près
**check in:** se présenter

## Info plus

▶ **Malibu** est une ville du comté de Los Angeles célèbre pour son climat chaud, ensoleillé et ses magnifiques plages dorées.
Plus discrète que Beverly Hills ou Hollywood, Malibu a séduit de nombreuses stars de cinéma qui y ont habité, comme Leonardo DiCaprio ou encore Brad Pitt. Quel succès !

## Compréhension

**1** **Colorie en jaune les jours où tu peux faire du parapente.**

Tuesday

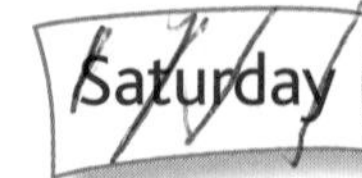

**2** **Quand commence et se termine la leçon ? Coche la bonne proposition.**

- ☐ La leçon commence le matin et se termine le matin.
- ☒ La leçon commence le matin et se termine l'après-midi.
- ☐ La leçon commence l'après-midi et se termine l'après-midi.

 CORRIGÉS → p. 107

## Grammaire

**3 Quelle heure est-il ? Dessine les aiguilles au bon endroit dans chaque horloge.**

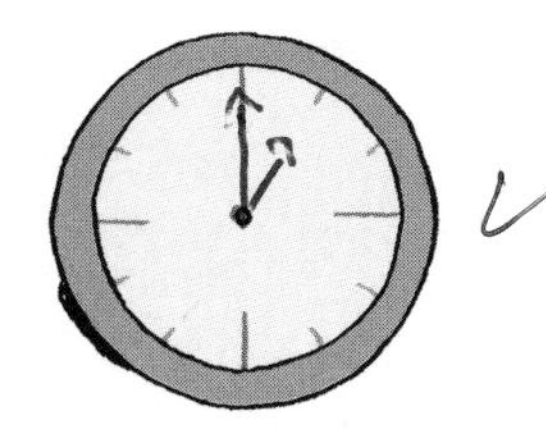

a It's a quarter to eight.

b It's one o'clock.

c It's twenty past two.

d It's five to ten.

**4 Avec les lettres O, H et W, tu peux écrire deux pronoms interrogatifs. Lesquels ?**

a How ?

b Who ?

**5 Relie chaque question à sa réponse.**

a Who is good at paragliding?
b Is it half past twelve?
c How are you?
d Are they beginners?

I'm fine. Thank you.
No, they aren't.
We are!
Yes, it is.

**6 Malibu se trouve aux États-Unis, mais sais-tu dans quel État ? Pour le savoir, réécris la phrase suivante en séparant correctement les mots, puis entoure le 7e mot !**

MalibuisacitylocatedinCalifornia.

Malibu is a city located in California.

## LE COURS

### Be au présent

▶ On utilise *be* au présent pour :
– évoquer **l'identité** de quelqu'un,
– dire son **âge**,
– exprimer un **sentiment**.

*This is Sandy! She's from Malibu.*
*She's 23 years old.*
('*s* est la contraction de *is*.)
*I'm happy!*
('*m* est la contraction de *am*.)

▶ Voici des exemples de **questions posées avec l'auxiliaire *be*** :

• *Yes/no questions :*
– *Are you American?*
– *Yes, I am.*

• Questions en *Wh-* :
– *What is it? – It's a clock.*
– *Who is she? – She's my sister!*
– *Where are they from?*
– *They're from California.*
– *How are you? – I'm fine!*

### L'heure

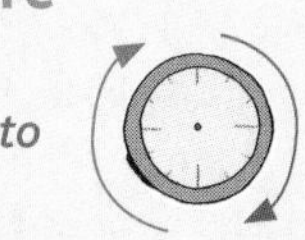


avant midi : ***AM***

après midi : ***PM***

*It's 10 o'clock.*

*It's ten past ten.*

*It's a quarter past ten.*

*It's half past ten.*

*It's twenty to eleven.*

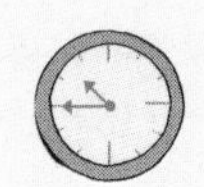

*It's a quarter to eleven.*

# La « révolution » néolithique

## LE COURS

### Agriculture et sédentarisation

▶ **L'agriculture apparait** d'abord au Proche-Orient, vers 10 000 avant J.-C. Les femmes et les hommes produisent désormais une partie de leur alimentation.

▶ Les populations doivent donc rester sur les territoires qu'elles cultivent : **elles deviennent sédentaires. Les villages apparaissent**, faits de plusieurs grandes habitations en pierre ou en bois.

▶ Mieux nourries, **les populations augmentent**. Entre 9000 et 5000 avant J.-C., l'agriculture se diffuse sur tous les continents à partir de différents foyers.

### De nombreux changements

▶ **Les hommes transforment l'environnement** : ils **défrichent les forêts** pour cultiver des céréales (blé, riz...), des légumes (haricot, pomme de terre...) et pour élever des bœufs, des porcs ou des moutons.

▶ **La société se transforme.** Parmi les paysans, certains deviennent des **artisans**. Ils inventent de **nouveaux outils en pierre polie** (haches, faucilles, araires) et fabriquent des poteries pour stocker les aliments. Les tombes révèlent des **inégalités de richesses**. Les fortifications et les armes montrent que les **conflits existent entre les villages**.

### VOCABULAIRE

**Néolithique :** période de la « pierre nouvelle » : apparition d'outils en pierre polie (et non plus taillée) et développement de l'agriculture.

**Sédentaire :** personne qui vit dans un habitat fixe (contraire de nomade).

**1** **Entoure les 5 mots qui caractérisent le Néolithique. (cours)**

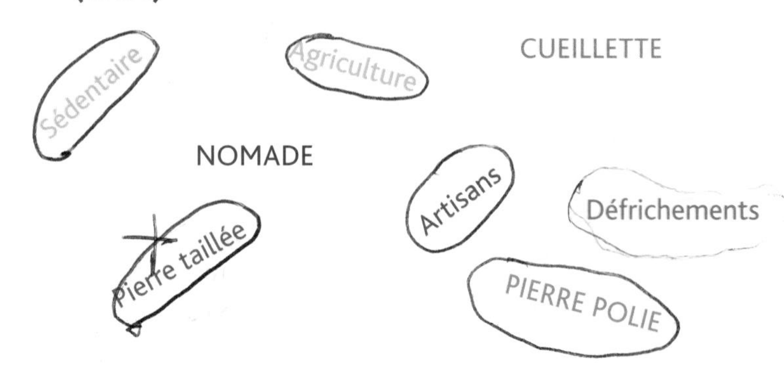


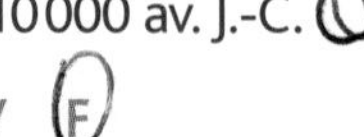


**2** **À partir de la carte, indique si les propositions suivantes sont vraies (V) ou fausses (F). (doc.)**

a La « révolution » néolithique commence en 10 000 av. J.-C. V F

b En Amérique, c'est le riz qui est cultivé. V F

c Le bœuf est l'espèce la plus élevée dans le monde. V F

d La « révolution » néolithique n'est partie que d'un seul foyer dans le monde. V F

e Le foyer du Proche-Orient s'est diffusé jusqu'en Europe. V F

**DOC** Apparition de l'agriculture et de l'élevage

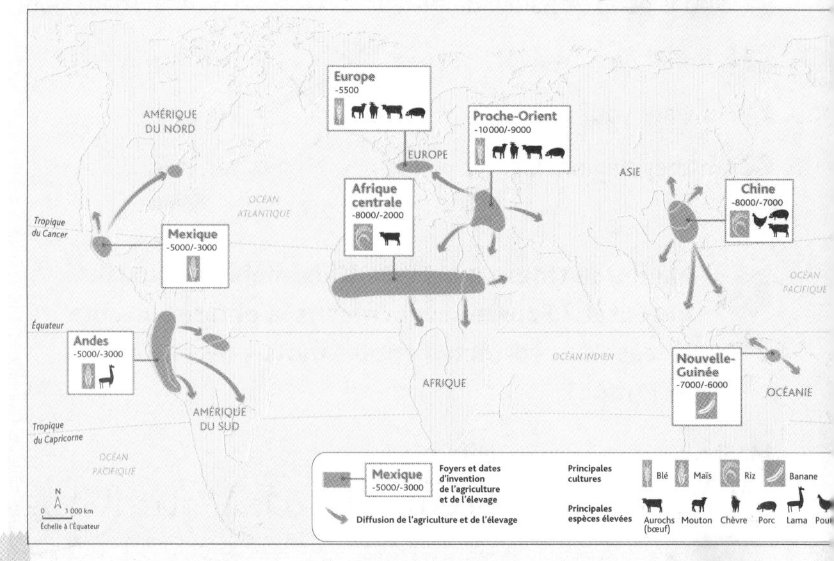


 CORRIGÉS → p. 107

# Les métropoles et leurs habitants

## 1 Relie chaque quartier de la métropole à la caractéristique qui lui correspond.

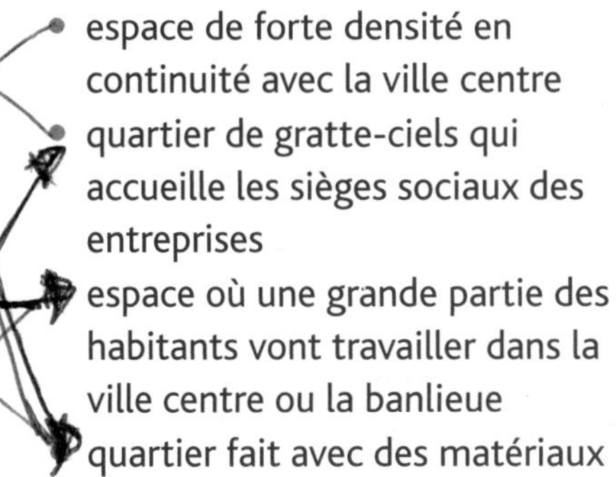

| | |
|---|---|
| Bidonville | espace de forte densité en continuité avec la ville centre |
| Banlieue | quartier de gratte-ciels qui accueille les sièges sociaux des entreprises |
| Espace périurbain | espace où une grande partie des habitants vont travailler dans la ville centre ou la banlieue |
| Quartier des affaires | quartier fait avec des matériaux de récupération |

## 2 a Complète les schémas en notant les numéros qui correspondent aux différents types de quartiers.

Document 1 : ① centre ancien, ② lotissement pavillonnaire, ③ quartier des affaires.

Document 2 : ① quartier résidentiel riche fermé, ② quartier des affaires, ③ bidonville.

b Sur chaque schéma, reporte la lettre correspondant à sa fonction. (A = tourisme et culture ; B = logement ; C = travail).

**DOC 1** Une métropole de pays développé

**DOC 2** Une métropole de pays en développement

# LE COURS

## Des grandes villes qui attirent

▶ Les **métropoles** sont des **grandes villes** qui **rayonnent sur toute une région**. Elles ont de nombreuses fonctions de commandement : économiques (direction des entreprises...), culturelles (musées, théâtres...) et politiques (ministères, sièges d'une collectivité territoriale...).

▶ Les **habitants, très nombreux**, présentent des caractéristiques différentes : ce sont des résidents permanents, des migrants pendulaires ou encore des touristes.

## Un espace urbain organisé

▶ L'organisation des métropoles est différente selon le niveau de développement et le passé historique. **La ville centre** concentre les **monuments anciens** et souvent le **quartier des affaires** avec ses gratte-ciels. **La banlieue** et les **espaces périurbains** connaissent **la plus forte augmentation de la population**. Les logements y sont très variés : maisons, grands ensembles, **bidonvilles**...

▶ **Les métropoles doivent relever de nombreux défis**. Les **déplacements** sont en constante augmentation et provoquent pollution et embouteillages. Ces villes connaissent une **ségrégation socio-spatiale** à cause des inégalités. Les villes des pays pauvres ne parviennent pas à répondre aux besoins essentiels de leur population.

### VOCABULAIRE

**Bidonville :** quartier dans lequel les maisons sont construites avec des matériaux de récupération.

**Ségrégation socio-spatiale :** les populations vivent dans des quartiers séparés en fonction de leur richesse ou de leur origine.

CORRIGÉS → p. 107

# Bilan de la séquence 1

Ton score /20

## Français

**1 Souligne la phrase qui est conjuguée au présent de l'indicatif.**

a. L'ogre passait par ce chemin.

b. Nous apprécions la bonne musique.

0 / 1

**2 Conjugue le verbe *voir* au présent de l'indicatif.**

Je ..........

Tu ..........

Il ..........

Nous ..........

Vous ..........

Ils ..........

1 / 1

**3 La forme correcte du verbe *pouvoir* au présent de l'indicatif, à la 1re personne du pluriel, est :**

☐ pouvions

☒ pouvons

☐ pourrons

1 / 1

**4 Coche le verbe au présent qui convient.**

a. Les lutins .......... nuit et jour avant Noël.

☐ travaille

☒ travaillent

☐ travailles

b. L'ogresse ne .......... rien au fond du chaudron.

☐ voie

☐ vois

☒ voit

1 / 1

## Maths

**5 Relie les écritures des mêmes nombres.**

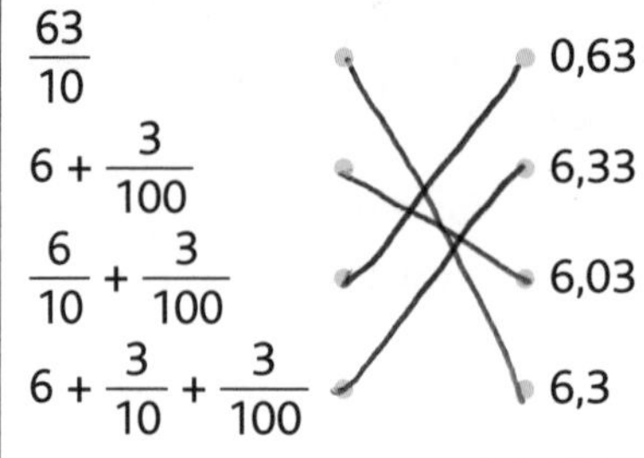

$\frac{63}{10}$ — 0,63

$6 + \frac{3}{100}$ — 6,33

$\frac{6}{10} + \frac{3}{100}$ — 6,03

$6 + \frac{3}{10} + \frac{3}{100}$ — 6,3

/4

**6 Complète avec les nombres correspondant aux graduations.**

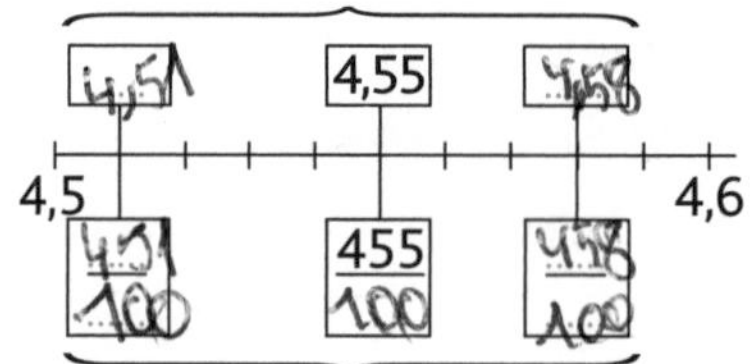



/4

## Anglais

**7 Coche la forme correcte de *be*.**

Greg .......... eleven years old.

☐ am

☒ is

☐ are

/1

**8 Complète les phrases avec *be* conjugué.**

I .......... very happy!

My cousins .......... here.

/2

**9 Quelle heure est-il ?**

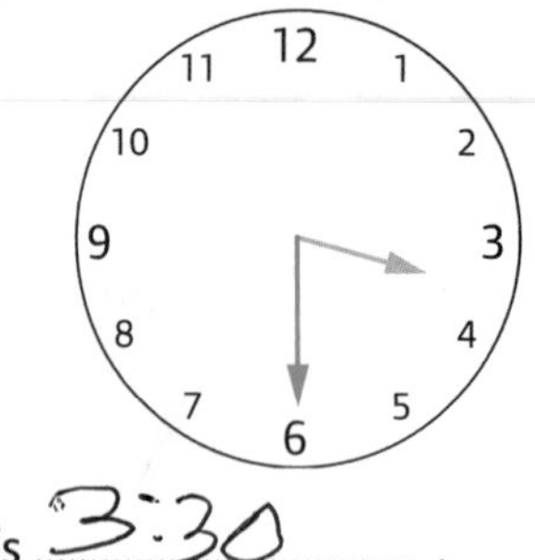



It's .......... .

/1

## Histoire

**10 Les hommes et les femmes du Néolithique :**

☐ a. développent l'agriculture.

☐ b. inventent l'écriture.

☒ c. se sédentarisent.

/2

## Géographie

**11 Une métropole concentre :**

☒ a. beaucoup d'habitants.

☐ b. de nombreuses fonctions de commandement.

☐ c. peu de déplacements.

/2

## Teste-toi avant de commencer

### Français

**1 Souligne la phrase qui est conjuguée à l'imparfait de l'indicatif.**

a. Je passai par là.

b. Elle passait ses journées à grignoter.

/1

**2 La forme correcte du verbe *crier* à l'imparfait, à la 2e personne du pluriel, est :**

☒ criez ☐ criiez ☐ crillez

/1

**3 Coche le verbe conjugué à l'imparfait.**

☐ mangerait ☐ mangeons ☒ mangeait

/2

### Maths

**4 Coche les cases Vrai ou Faux qui conviennent.**

1 2 3

a. Les routes du carrefour 1 ne sont pas parallèles : ☒ Vrai Faux ☐

b. Les routes du carrefour 2 sont perpendiculaires : ☒ Vrai Faux ☐

c. Les flèches du panneau 3 sont sécantes : ☐ Vrai Faux ☒

d. Deux droites parallèles ne sont jamais sécantes : ☒ Vrai Faux ☐

/4

**5 Pour chaque figure, vérifie (au compas) si le cercle de centre O et de rayon OA passe par B, puis compare les longueurs OA et OB avec = ou ≠.** (No compass)

| 1 | 2 | 3 | 4 |
|---|---|---|---|
| OA ... OB | OA ... OB | OA ... OB | OA ... OB |

/4

### Anglais

**6 Coche la forme correcte de *have got*.**

I ......... one brother.

☐ has got ☒ am ☐ have got

/2

**7 Complète avec les lettres manquantes.**

Ten + Five = FIFTEEN

/2

### Histoire

**8 Quel est le nom d'un des premiers États qui utilisaient les hiéroglyphes comme écriture ?**

Les Égyptiens

/2

### Sciences et technologie

**9 Combien existe-t-il d'espèces d'êtres vivants ?**

☐ 5 millions ☐ 10 millions ☒ 15 millions

/2

**Ton score** /20

Correction @ p.108 (Sequence 2)

# Un paysage tout en chocolat

- Conjuguer à l'imparfait

Charlie est un jeune garçon qui adore le chocolat. Un jour, son rêve se réalise : il gagne le droit d'entrer dans la grande chocolaterie installée à côté de chez lui.

M. Wonka ouvrit la porte. Les cinq enfants et les neuf adultes entrèrent en se bousculant… pour tomber en arrêt devant tant de merveilles. Oh ! Quel fascinant spectacle !

À leurs pieds s'étalait… une jolie vallée. De chaque côté, il y avait de verts pâturages et tout au fond coulait une grande rivière brune.

Mais on voyait aussi une formidable cascade – une falaise abrupte par où les masses d'eau pleines de remous se précipitaient dans la rivière, formant un rideau compact, finissant en un tourbillon écumant et bouillonnant, plein de mousse et d'embruns[1] […].

Des arbres et des arbustes pleins de grâce poussaient le long de la rivière : des saules pleureurs, des aulnes, du rhododendron touffu à fleurs roses, rouges et mauves. Le gazon était étoilé de milliers de boutons d'or.

« Voyez ! » s'écria M. Wonka en sautillant. De sa canne à pommeau d'or, il désigna la grande rivière brune.

« Tout cela, c'est du chocolat ! Chaque goutte de cette rivière est du chocolat fondu, et du meilleur. Du chocolat de première qualité. Du chocolat, rien que du chocolat. De quoi remplir toutes les baignoires du pays ! Et aussi toutes les piscines ! N'est-ce pas magnifique ? »

Roald Dahl, *Charlie et la Chocolaterie*, traduction d'Elizabeth Gaspard,


**VOCABULAIRE**

**1. Embruns :** petite pluie fine, formée par les gouttes d'eau provenant des vagues.

## Compréhension

**1 En quoi ce paysage est-il étonnant ?**

☐ Il est lugubre. ☒ Il est en chocolat. ☐ Il est en pain d'épices.

**2 Que font les personnages de ce texte ?**

☒ Ils visitent une chocolaterie.
☐ Ils achètent des gâteaux au chocolat dans une pâtisserie.
☐ Ils apprennent à faire des gâteaux au chocolat.

**Coup de pouce**

**• Maitriser les particularités de l'imparfait**

Le *y* du radical n'empêche pas l'utilisation des terminaisons *-ions* et *-iez*, même si le *y* et le *i* se retrouvent côte à côte.

*Voir → je voyais, tu voyais, il voyait, nous voyions, vous voyiez, ils voyaient.*


CORRIGÉS → p. 108

3 **À ton avis, qui est M. Wonka ?**

☐ Un magicien. ☐ Un ouvrier. ☒ Un chocolatier.

## Conjugaison

4 **a Donne l'infinitif des verbes en bleu. Quel est leur groupe ?**

~~s'étalait (1er) / Coulait~~ S'étaler (1er) / Couler (1er) *

**b Souligne dans le texte les verbes *être* et *avoir* conjugués à l'imparfait, ainsi qu'un autre verbe qui n'appartient pas au 1er et au 2e groupe. Conjugue-les à l'imparfait.**

| Avoir | Voir | Être |
|---|---|---|
| J' avais | Je voyais | J' étais |
| Tu avais | Tu voyais | Tu ~~était~~ étais |
| Il avait | Il voyait | Il était |
| Nous avions | Nous voyions | Nous étions |
| Vous aviez | Vous voyiez | Vous étiez |
| Elles avaient | Elles voyaient | Elles étaient |

## Orthographe

5 **Complète les terminaisons des verbes à l'imparfait. N'oublie pas d'accorder chaque verbe avec son sujet.**

a Une magnifique fleur en pâte d'amande pouss*ais* sur une tige en sucre.

b Les enfants obéiss*aient* au doigt et à l'œil aux mystérieuses créatures qui les guid*aient*.

c Charlie, patiemment, pren*nait* le temps de regarder tout ce qui se pass*ait* autour de lui.

## Vocabulaire

6 **Trouve le nom commun issu de chaque verbe.**

*Exemple : bousculer → bousculade*

ouvrir – entrer – voir – précipiter – sautiller

ouverture / entrée / ? / précipitation /

?

* Se précipiter (1er) / Pousser (1er)

# LE COURS

## Quand utilise-t-on l'imparfait ?

▶ L'imparfait est un temps exprimant **le passé**. On l'utilise souvent dans **la description**. Quand l'action est racontée au passé simple, la description est généralement à l'imparfait.

*Les enfants furent stupéfaits* (passé simple) *devant le spectacle qui s'offrait à eux.* (imparfait)

▶ L'imparfait permet aussi d'exprimer **l'habitude**, les **faits qui se répètent** souvent.

*Tous les jours, Charlie mangeait sa petite barre de chocolat au gouter.*

## Comment conjugue-t-on à l'imparfait ?

▶ Les verbes ont tous **les mêmes terminaisons** : ***-ais, -ais, -ait, -ions, -iez, -aient***.

▶ **Verbes du 1er groupe** : *j'étalais*

▶ **Verbes du 2e groupe** (*-issons*) : *je finissais*

▶ **Verbes irréguliers du 3e groupe :**

*aller → j'allais*
*faire → je faisais*
*dire → je disais*
*voir → je voyais*
*prendre → je prenais*
*pouvoir → je pouvais*
*venir → je venais*
*vouloir → je voulais*

▶ ***Être et avoir* :**

*être → j'étais* *avoir → j'avais*

CORRIGÉS → p. 108

# Londres, visite guidée

## 1 La grande roue de Londres

Trois amis, Xavier, Yona et Zora, sont en vacances à Londres. Un matin, ils montent sur la grande roue *London Eye* : avec ses 120 m de diamètre, elle offre une vue magnifique sur la capitale anglaise ! Sur la figure ci-dessous, les initiales de Xavier, Yona et Zora indiquent leur position sur la roue.

**a Observe le croquis et complète les phrases en choisissant parmi les étiquettes suivantes.**

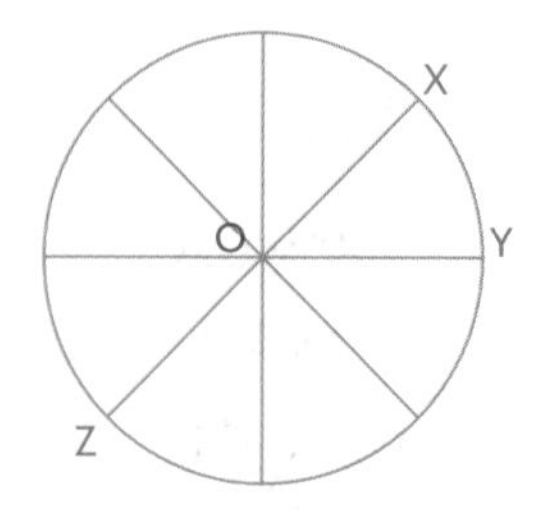


un diamètre | un rayon | centre

- La grande roue est un cercle de centre O.
- [OX] est un rayon.
- [ZX] est un diamètre.
- [OY] est un rayon.

**b Donne la mesure du rayon de la grande roue et son périmètre.**

> Diamètre = 2 × rayon

- Le rayon de la grande roue mesure 60 m.
- Le périmètre se calcule par :

$p \approx 2 \times \pi (3{,}14) \times 60$ donc $p \approx$ ~~378~~ 376,8 m.

> $p = 2 \times \pi \times r$ et $\pi \approx 3{,}14$.

## 2 Sur la piste du trésor de Hyde Park

**Sur la piste du trésor...**

Xavier déchiffre un vieux document trouvé par hasard et tente de reconstituer le plan menant, peut-être, à un trésor...

**Coup de pouce**

### Construire la parallèle à une droite passant par un point

Pour construire **la droite parallèle à la droite *a* passant par M**, place une équerre le long de *a*, puis pose une règle le long de l'autre côté de l'équerre. Sans bouger la règle, fais glisser l'équerre le long de la règle pour tracer *b* passant par M.

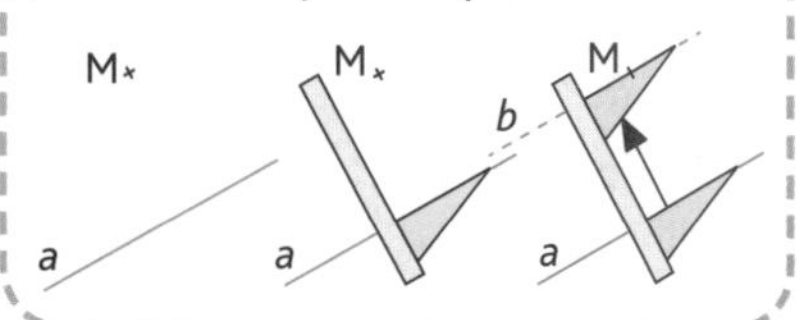



CORRIGÉS → p. 108

- En partant du drapeau P, avance de 20 m vers le nord jusqu'au gros rocher et marque un point R.
- Partant de R, avance de 30 m vers l'est : tu trouveras un buisson ; place le point B.
- Construis la perpendiculaire à (PB) passant par B : elle coupe (PR) en un point G.
- Trace la parallèle à (PB) passant par G : elle coupe (BR) en E.
- Trace le cercle $\mathscr{C}$ de centre R et de rayon 40 m.
- Le trésor est caché au point T d'intersection de [GE] et du cercle $\mathscr{C}$.

**Exécute le programme de construction avec précision et découvre l'emplacement du trésor !**

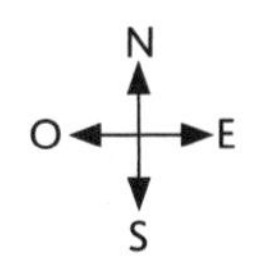

(P.S. No ruler) or Compas...

## DÉFI VACANCES

**À la recherche du centre perdu…**

Yona veut dessiner l'horloge de Big Ben. Elle utilise un pochoir pour tracer le cercle. Mais pour dessiner les aiguilles, elle a besoin de connaitre son centre !

**Dessine le centre de ce cercle, avec règle, équerre, compas… et précision.**

Choisis 3 points sur le cercle : le centre doit être équidistant de ces 3 points.

## LE COURS

### Segments et droites

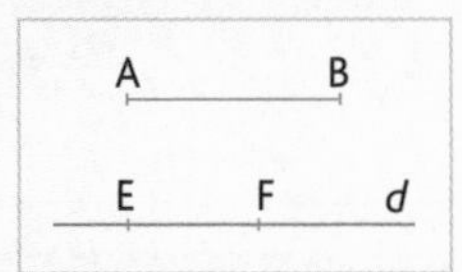


▶ À la règle, tu peux tracer :
– un segment, noté [AB] ;
– une droite, notée (EF) ou parfois *d*.

**Une droite est illimitée**, mais tu peux mesurer la longueur d'un segment.
*Ici, la longueur AB = 1,5 cm.*

▶ **Droites perpendiculaires**

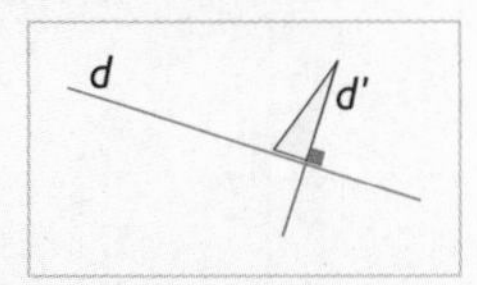


À l'équerre, on trace des droites perpendiculaires : elles se coupent en formant **quatre angles droits**.
On écrit : $d \perp d'$.

▶ **Droites parallèles**

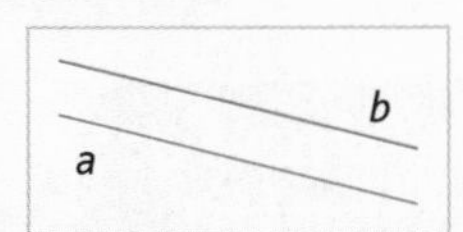


Deux droites *a* et *b* qui **ne se coupent jamais** sont dites parallèles.
On écrit : $a \,//\, b$.

### Cercles

Au compas, tu peux tracer un cercle noté $\mathscr{C}$.

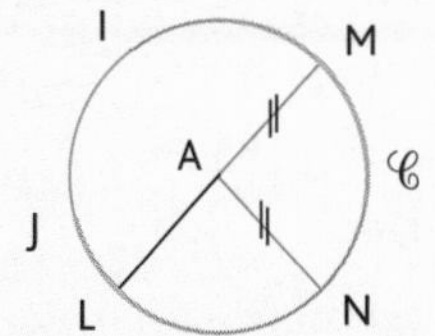


Tous les points du cercle $\mathscr{C}$ sont équidistants du centre A, c'est-à-dire à la **même distance de** A ; cette distance est le **rayon**, noté *r*.
AM = AN = *r*

[LM] est un **diamètre** du cercle. LM = 2 × *r*

La partie de cercle comprise entre I et J s'appelle l'**arc** $\overset{\frown}{IJ}$.

# At the Vet's

- *Have / have got*
- Les nombres

## VOCABULAIRE

**warn:** prévenir
**stay out:** se tenir à l'écart
**comic strip:** bande dessinée
**waiting room:** salle d'attente
**could:** ici, pourrait (conditionnel de *can*)
**bug:** insecte
**go in ahead:** passer devant
**life expectancy:** espérance de vie

## Compréhension

**1 Coche la proposition qui correspond à l'image.**

a This bug only lives 2 days. ☒
b This bug only lives 48 days. ☐
c This bug only lives 2 hours. ☐

**2 Imagine ce que va dire l'homme qui porte un aquarium au vétérinaire. Colorie sa bulle en vert.**

a Hello! I want to buy a new fish!

b I'm worried. My fish isn't well.

c This fish is too small. Give me a big one!

 CORRIGÉS → p. 108

## Grammaire

**3 Complète pour écrire deux nombres entre 10 et 20.**

TEN + TWELVE + TWENTY + EIGHTEEN + FORTY = A HUNDRED

**4 Qui parle ? Tout a été mélangé ! Relie chaque animal à sa bulle.**

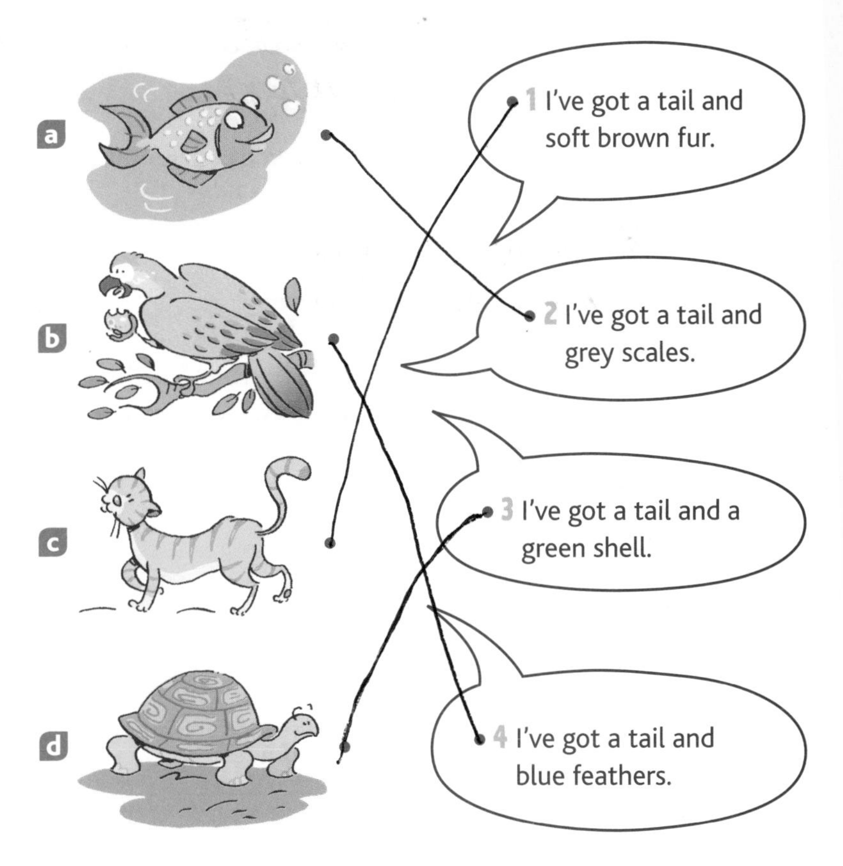


**5 Pour chaque phrase, entoure la proposition qui convient.**

a What ***is / has / have*** he got in his bag?

b I ***have / has / am*** got two cats and a dog.

c Rabbits ***has / is / are*** quiet and lovely animals.

**6 Écris une phrase pour indiquer les animaux que Tim a et celui qu'il n'a pas.**

**butterfly:** yes / **hamster:** yes / **boa constrictor:** no / **goldfish:** yes.

Tim has a butterfly, he also has a hamster but he does not have a ~~but~~ boa constrictor though he ~~still~~ has a goldfish.

## LE COURS

### Have / have got

▶ On utilise *have* ou *have got* **pour parler de ce que l'on a.**

*I have got (I've got) a dog.*
*I have a dog.*
*She has got (she's got) a cat.*
*She has a cat.*

▶ Attention !

Dans l'expression ***I have got***, *have* est un auxiliaire.

*I have got. Have you got... ?*
*I haven't got.*

Dans l'expression ***I have***, *have* est un **verbe**.

*I have. Do you have... ?*
*I don't have.*

### Les nombres

1 *one* 2 *two* 3 *three* 4 *four* 5 *five*
6 *six* 7 *seven* 8 *eight* 9 *nine* 10 *ten*
11 *eleven* 12 *twelve* 13 *thirteen*
14 *fourteen* 15 *fifteen* 16 *sixteen*
20 *twenty* 21 *twenty-one*
30 *thirty* 40 *forty* 50 *fifty*
100 *a hundred*

CORRIGÉS → p. 108

# Premiers États, premières écriture

## LE COURS

### Naissance des premiers États dans l'Orient ancien

▶ **Au milieu du IVe millénaire av. J.-C.**, dans le Croissant fertile, les populations se rassemblent dans des territoires plus grands et plus organisés que les villages : **ce sont les premières villes**. En Mésopotamie, ces villes forment des **cités-États**, comme Ur. En Égypte, **les cités sont unifiées dans un royaume** le long de la vallée du Nil.

▶ Ces États regroupent des populations **polythéistes** dirigées par des **rois au pouvoir absolu**. Ils gouvernent au nom des dieux et s'entourent de fonctionnaires comme les scribes. Ainsi, **le pharaon, roi d'Égypte**, est considéré comme un véritable dieu de son vivant.

### L'apparition des premières écritures

▶ **L'écriture apparait en même temps que les premières villes.** Les hommes en ont besoin pour **gérer leurs affaires** (compter les récoltes…). Elle est utilisée par les rois pour **gouverner** (lois, récit de leur règne…). Elle sert aussi à **honorer les dieux.** Avec l'écriture, **l'histoire commence**.

▶ En Mésopotamie, au milieu du IVe millénaire av. J.-C., l'écriture prend d'abord la forme de **pictogrammes** (un dessin représente un objet) puis de **signes cunéiformes** (un dessin correspond à des sons et des mots). Vers 3200 av. J.-C., les Égyptiens inventent les **hiéroglyphes**.

### VOCABULAIRE

**Cité-État :** territoire composé d'une ville et d'une campagne. Les habitants obéissent aux mêmes lois.

**Polythéiste :** qui croit en plusieurs dieux.

**1** **Trouve le mot qui correspond à la définition. (cours)**

a Roi d'Égypte : Pharaon

b Croit en plusieurs dieux : ~~monothéistes~~ polythéiste

c Dessin représentant un objet : hiéroglyphes

**2** **Observe la tablette ci-dessous et traduis ce qui est encadré en t'aidant de la légende. (doc.)**

a À gauche : 80 moutons mâles

b À droite : 67 peaux de chevreaux

**3** **Pour chaque groupe de propositions, entoure celle qui est juste pour le document ci-dessous. (cours et doc.)**

a Écriture cunéiforme – Hiéroglyphe

b Égypte – Mésopotamie

c Rendre hommage aux dieux – Compter

**DOC** **Tablette d'argile, cité-État de Sumer, vers 2350 avant J.-C., musée du Louvre, Paris**

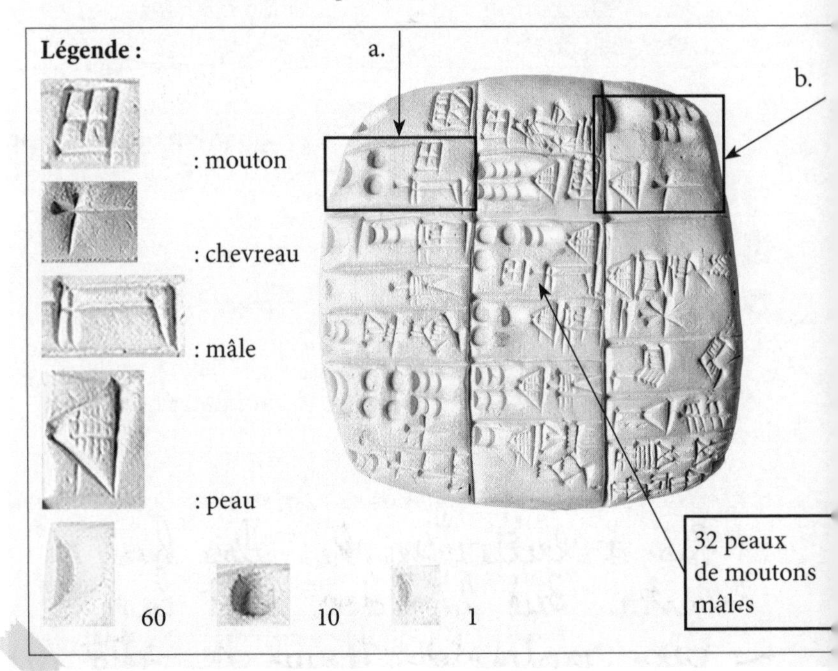



CORRIGÉS → p. 109

# Déterminer et classer les êtres vivants

**1** Un escargot de Bourgogne ne s'accouple qu'avec un autre escargot de Bourgogne, jamais avec un escargot petit-gris. Cet accouplement donne naissance à d'autres escargots de Bourgogne qui pourront se reproduire entre eux.

**L'escargot de Bourgogne et l'escargot petit-gris appartiennent-ils à la même espèce ? Justifie ta réponse.**

Oui, car même si ils ~~se reprod~~ se reproduisent entre ne veut pas dire qu'ils sont toujours les escargots.

**2** **Indique le nom de chaque espèce à l'aide de la clé de détermination. (doc. 1)**

Espèce A : Martinet Noir

Espèce B : Hirondelle de chéminée

Espèce C : Hirondelle de fenêtre

**3** **Pour classer les arthropodes, les scientifiques utilisent comme critère le nombre de pattes. Combien de sous-groupes d'arthropodes ont-ils créés ? (doc. 2)** 4

**4** **Des élèves ont classé les arthropodes en 3 sous-groupes. À ton avis, quel critère ont-ils utilisé ? (doc. 2)**

Ils ont atulisé les pattes et antennes.

**DOC 1**

**Identifier les hirondelles et les martinets**

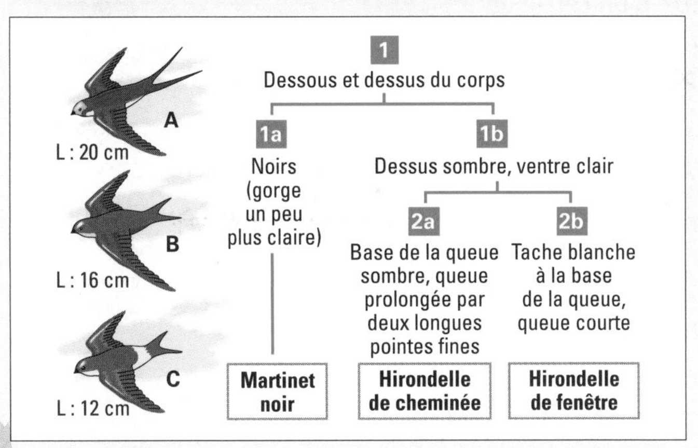


## LE COURS

### Qu'est-ce qu'une espèce ?

▶ Une même espèce rassemble, sous le même nom, des êtres vivants qui se ressemblent beaucoup et surtout qui peuvent se reproduire entre eux.

▶ Il existe plus de 10 millions d'espèces et on en découvre chaque jour de nouvelles.

### Les clés de détermination

▶ À l'aide d'un **critère** (« a » ou « n'a pas » ce critère), on sépare les espèces en deux ensembles.

▶ Ensuite on peut de nouveau trier chacun de ces deux ensembles en deux sous-ensembles à l'aide d'autres critères et ainsi de suite.

### Le classement des espèces

▶ Classer, c'est regrouper des espèces selon leurs **relations de parenté**. Il faut créer un premier groupe d'espèces à l'aide de **critères communs** à toutes ces espèces (ex. : les arthropodes ont un squelette extérieur et des pattes articulées). On divise ensuite ce premier groupe en sous-groupes. Chaque sous-groupe est constitué d'une partie des espèces du groupe qui présentent un critère commun.

**DOC 2**

**Quel classement ?**

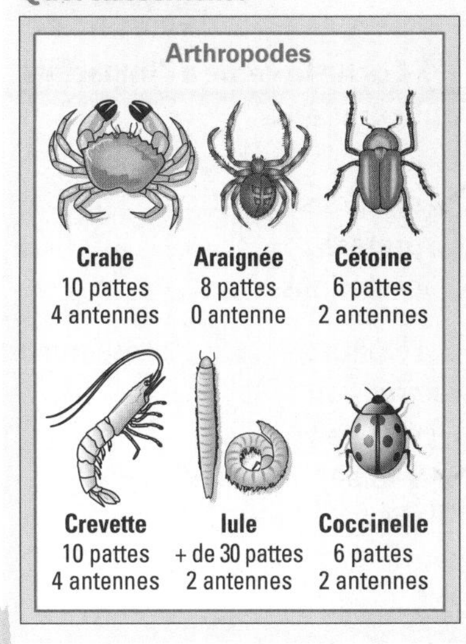


CORRIGÉS ➜ p. 109

# Bilan
## de la séquence 2

**Ton score** /20

### Français

**1 Coche l'affirmation correcte.**

☐ a. L'imparfait raconte un fait précis dans le passé.
☐ b. L'imparfait permet de faire une description dans le passé.

/1

**2 Conjugue le verbe *aller* à l'imparfait de l'indicatif.**

J' ..........................
Tu ..........................
Elle ..........................
Nous ..........................
Vous ..........................
Elles ..........................

/2

**3 La forme correcte du verbe *naviguer* à l'imparfait, à la 1re personne du pluriel, est :**

☐ naviguions
☐ navigions
☐ naviguons

/1

**4 Coche le verbe à l'imparfait qui convient.**

a. Je .......... le chocolat noir.
☐ préférais
☐ préfère
☐ préférions

b. Le pâtissier .......... présenter sa création.
☐ voudrait
☐ voulait
☐ veut

/1

### Maths

**5 Observe ces figures et indique si les affirmations sont vraies ou fausses.**

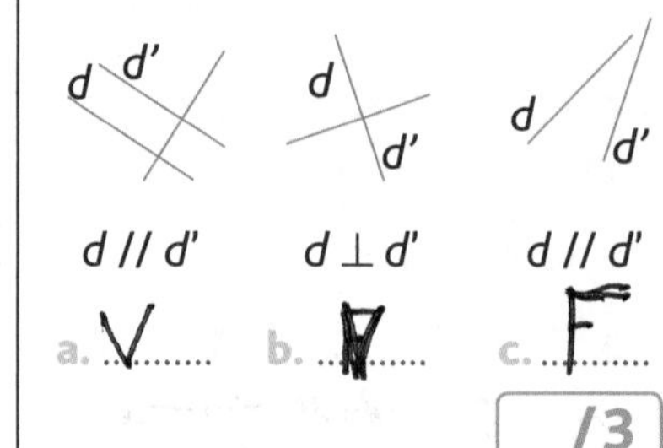


d // d' — a. ..........
d ⊥ d' — b. ..........
d // d' — c. ..........

/3

**6 a. Observe la figure puis entoure la réponse correcte.**

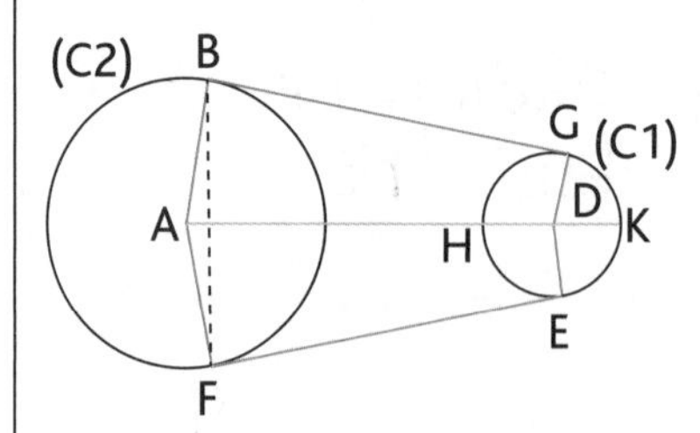


| | Vrai | Faux |
|---|---|---|
| [ED] est un rayon du cercle (C1) | V | F |
| [BF] est un diamètre du cercle (C2) | V | F |
| [HK] est un diamètre du cercle (C1) | V | F |
| $\widehat{BF}$ est un demi-cercle | V | F |

**b. Coche la réponse juste.**
Le périmètre d'un cercle de rayon 3 cm se calcule par :
$P =$ ......
☐ $3 \times \pi$
☐ $5 \times \pi$
☐ $6 \times \pi$
☐ $12 \times \pi$

/5

### Anglais

**7 Coche la forme correcte de *have got*.**

.......... you .......... a cat?
☐ have .......... got
☐ has .......... got
☐ hasn't .......... got

/1

**8 Complète la phrase avec la forme correcte de *have got*.**

She has got a dog but she .......... a cat.

/1

**9 Écris les nombres en toutes lettres.**

We have got (3) .......... dogs and (8) .......... cats.

/1

### Histoire

**10 Au IVe millénaire av. J.-C. :**

☐ l'agriculture se développe.
☐ des États et l'écriture apparaissent.
☐ l'histoire commence.

/2

### Sciences et technologie

**11 Qu'est-ce qu'une espèce d'êtres vivants ?**

..........................................
..........................................
..........................................

/2

# Teste-toi avant de commencer

## Français

**1 Barre le verbe qui ne respecte pas l'accord avec le sujet.**

a. La photo de mes amis *se trouvent* – *se trouve* au fond du sac.

b. Les portes *grincent* – *grinces* en s'ouvrant.

/1

**2 Coche le synonyme du mot *sage*.**

☐ raisonnable
☐ agité
☐ délirant

/1

**3 Coche l'antonyme du mot *malin*.**

☐ idiot
☐ rusé
☐ dégourdi

/2

## Maths

**4 Calcule mentalement et complète ces opérations en ligne.**

0,3 + ……… = 1 8,2 + ……… = 10
10 – ……… = 7,5 4,75 – ……… = 3,5

/4

**5 Calcule mentalement et complète sans poser les opérations.**

43,7 × 10 = ……… 43,7 × 100 = ………
1,789 × 10 = ……… 1,789 × 100 = ………

/4

## Anglais

**6 Coche la forme correcte de l'impératif.**

……… your favourite games with you!

☐ Taken ☐ Took ☐ Take

/2

**7 Choisis le bon démonstratif pour compléter la phrase.**

– ……… book is mine, your book is in the other room.

☐ that ☐ this ☐ these

/2

## Géographie

**8 Entoure les deux espaces à forte(s) contrainte(s) naturelle(s).**

Sahara
Amazonie
Paris

/2

## Sciences et technologie

**9 Sur les végétaux à fleurs, où se dépose le pollen ?**

……………………………………………………
……………………………………………………

/2

**Ton score** /20

# Terreur au téléphone portable

- Accorder un verbe avec son sujet
- Utiliser les synonymes et les antonymes

Balthazar a acheté un nouveau téléphone dans une boutique étrange tenue par un vendeur inquiétant. Très vite, le téléphone semble fonctionner bizarrement.

Tania ne vint pas à l'école le lendemain. Le lundi matin, deux flics, un homme et une femme, entrèrent dans la classe pour demander aux élèves s'ils avaient des informations au sujet de leur camarade : elle avait disparu le jeudi de la semaine dernière sans laisser de traces ni donner de nouvelles à ses parents. Bouleversé, Balthazar ne songea pas à leur dire qu'il l'avait eue au téléphone et qu'il n'avait rien remarqué d'anormal. Il tenta de la joindre à la première récré, tomba encore une fois sur la boîte vocale, se traita de crétin : les parents de Tania et les flics y avaient déjà pensé, évidemment. Puis, alors qu'il consultait les fonds d'écran pour remplacer Vegeta (*Dragon Ball Z*, c'est vraiment pour les nazes, avaient ricané deux copains de sa classe), une image le sidéra. Le pétrifia. Le visage de Tania. Pas le visage mignon et souriant qu'il avait entrevu la dernière fois, non, un visage horrifié, les yeux écarquillés par l'épouvante, la bouche grande ouverte. Comment… comment cette image était-elle arrivée là ? Est-ce que le téléphone prenait automatiquement des photos des correspondants pour les enregistrer dans les réglages *Fonds d'écran* ? Possible et même probable. Mais ça n'expliquait pas la terreur apparente de Tania.

Pierre Bordage, « Fonds d'écran », in *10 Nouvelles fantastiques*, Alain Grousset, © Flammarion, « Castor Poche », 2005.

**Cas particuliers de l'accord sujet-verbe**

- Lorsqu'il y a plusieurs sujets, le verbe se met au pluriel :
  *Ma famille, mes voisins et les élèves* ***assistent*** *au spectacle.*
- Le sujet peut être séparé du verbe :
  *Tu me* ***donnes*** *un cadeau.*
  *Le portable, déposé dans l'entrée,* ***se mit*** *à sonner.*
- Le sujet et le verbe peuvent être inversés, mais s'accordent normalement :
  *Il avait à peine sorti ses rames que* ***souffla*** *violemment le vent.*

## Compréhension

**1 Qui est Balthazar ?**

- [x] Un policier.
- [ ] Un professeur.
- [ ] Le père d'un élève.
- [ ] Un collégien.

**2 Quel phénomène étrange se produit sur le téléphone de Balthazar ?**

- [x] Le téléphone affiche une photo que Balthazar n'a jamais vue.
- [ ] Le téléphone affiche les photos en noir et blanc.
- [ ] Le téléphone ne sonne pas quand il reçoit un appel.

 CORRIGÉS → p. 110

## Grammaire

**3 Dans les deux premières phrases du texte (l. 1 à 5), souligne les verbes conjugués, puis entoure leur sujet.**

## Orthographe

**4 Réécris la phrase suivante en remplaçant « il » par « ses camarades ». Pense à faire tous les accords !**

Il tenta de la joindre à la première récré, tomba encore une fois sur la boite vocale, se traita de crétin.

Ses camarades tentaient de la joindre à la première récré, tomba encore une fois sur la boite vocale, se traitaient de crétin!

## Vocabulaire

**5 Dans le texte suivant, entoure les synonymes de « visage ».**

Il plaça le téléphone à une quarantaine de centimètres de son visage.
« Tu me vois ?
– Ben ouais, j'connais déjà ta tronche, remarque.
– La tienne aussi, j'la connais, mais j'aimerais quand même bien la voir. »
Victoire : la frimousse de Tania apparut sur l'écran de Balthazar au bout de quelques secondes.

**6 Barre l'intrus de chaque liste de synonymes.**

a effrayé – terrifié – ~~étonné~~ – épouvanté – apeuré – terrorisé

b rassuré – rassasié – rasséréné – ~~tranquillisé~~ – apaisé

**7 Relie entre eux :**

a les mots antonymes :

| | |
|---|---|
| inquiet | ennuyeux |
| passionnant | énervé |
| calme | rassuré |

b les mots synonymes :

| | |
|---|---|
| disparaitre | kidnapper |
| s'enfuir | se volatiliser |
| enlever | s'échapper |

# LE COURS

## L'accord sujet-verbe

▶ Le sujet indique **qui fait ou subit l'action**.

▶ Le verbe **s'accorde avec son sujet** en personne et en nombre.

*Timothée ouvrit son ordinateur.*
3e pers. du singulier

*Timothée et Tania étaient amis.*
3e pers. du pluriel

▶ On **trouve le sujet** en posant la question : *Qu'est-ce qui… ?* ou *Qui est-ce qui… ?*

*Balthazar se décida à prévenir ses parents.*
***Qui est-ce qui** se décida à prévenir ses parents ? → **Balthazar***

## Synonymes et antonymes

▶ **Les synonymes**

• Ce sont des mots de **sens très proche** appartenant à la même classe grammaticale :
– des **adjectifs** :
*content, satisfait, ravi*
– des **noms** :
*obscurité, ombre, noir…*

• Les synonymes appartiennent parfois à des **niveaux de langue** différents.
*Se sustenter, manger, bouffer*

• Ils peuvent exprimer des **degrés d'intensité différents**.
*Inquiet, effrayé, terrorisé*

▶ **Les antonymes**

Ce sont des mots de **sens contraire** qui appartiennent à la même classe grammaticale :
– des **verbes** → *terroriser / rassurer*
– des **adjectifs** → *heureux / triste*
– des **noms** → *beauté / laideur…*

CORRIGÉS → p. 110

# Au parc de loisirs

• Opérations sur les nombres décimaux

## 1 À la fête foraine

Sais-tu bien viser ? Alors, teste ton adresse au tir à l'arc !

**Effectue mentalement les opérations, puis relie chaque flèche à la cible qui porte le bon résultat.**

| Flèches | Cibles | Flèches |
|---|---|---|
| 5,75 + 0,25 | 19 | 7 – 3 + 4 |
| 16 × 0,5 | 6 | 5 × 4 – 1 |
| 16,7 + 2,3 | 8 | 10 – (2 + 1) |
| 4,1 + 2,9 | 7 | 16 – 2,5 × 4 |

## 2 Casse la baraque !

À ce stand, on lance des balles pour faire tomber des boites. Au-dessus des boites, une calculatrice affiche 521 × 91 = 47 411.

**a Relie chaque balle à la boite correspondante.**

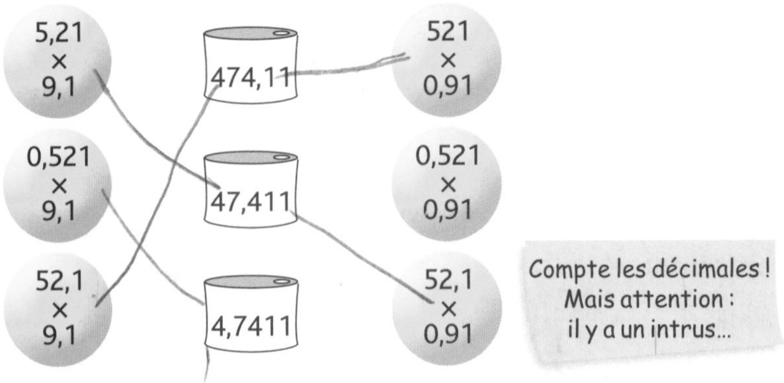


**b Julie a encore une balle, mais elle ne trouve pas la boite correspondante. Le forain va lui chercher cette boite. Quel nombre est écrit dessus ?**

.................................................................................

**● Priorités des opérations**

▶ On effectue :
– **d'abord** les **opérations entre parenthèses**,
– **puis** les **multiplications**,
– **ensuite** les **additions et** les **soustractions**, en commençant par la gauche.

▶ On dit que la multiplication **a priorité** sur l'addition et la soustraction.

*Exemple :*
25 – 9 + 5 × 7 = 25 – 9 + 35
= 16 + 35
= 51.

 CORRIGÉS → p. 110

## 3 Rallye vidéo aux jeux d'arcade

Au stand des jeux vidéo, Lucas pilote un quad sur un rallye.

- Au départ de l'étape, le compteur de son quad indique 243,784 km ; à l'arrivée, il affiche 778,23 km.
- Il a consommé 69,4 L de carburant à 0,75 € le litre.

**Pose les opérations nécessaires pour calculer :**

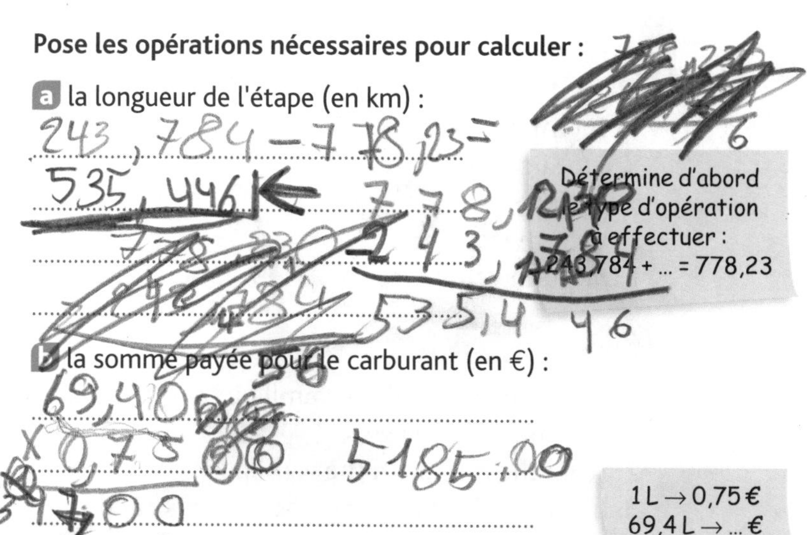

**a** la longueur de l'étape (en km) :

Détermine d'abord le type d'opération à effectuer :
243,784 + ... = 778,23

**b** la somme payée pour le carburant (en €) :

1 L → 0,75 €
69,4 L → ... €

## 4 Pour quelques fractions de secondes !

Lors d'un jeu de course de voitures, on départage les deux premiers pilotes par une épreuve de vitesse.

**Calcule ces sommes ou produits de fractions décimales.**

$\frac{4}{10} + \frac{9}{10} = ....... + ....... = ....... = \frac{.......}{.......}$

$\frac{2}{10} \times \frac{8}{10} = ....... \times ....... = ....... = \frac{.......}{.......}$

## DÉFI VACANCES

**À la recherche des nombres perdus...**

Avant de quitter la fête foraine, un célèbre déchiffreur d'énigmes te lance un défi : sauras-tu reconstituer cette opération partiellement effacée ?

```
          8 3, 7
      ×   _, 0 5
      ----------
        4 _ 8 _
  + 3 3 _ 8 . .
  --------------
    3 3 8, 9 _ _
```

## LE COURS

### Addition et soustraction

▶ **Pour additionner ou soustraire deux nombres décimaux**, on dispose **la virgule sous la virgule**, les unités sous les unités, les dixièmes sous les dixièmes, etc.

*Calcul de 437,52 + 21,38 et de 458,9 − 21,38*

```
    4 3 7 , 5 2        4 5 8 , 9 0
 +    2 1 , 3 8     −    2 1 , 3 8
 -------------      -------------
    4 5 8 , 9 0        4 3 7 , 5 2
```

▶ Le résultat d'une addition est une **somme**, celui d'une soustraction est une **différence**.

▶ Certaines **sommes** peuvent être calculées **en regroupant les termes** qui s'ajoutent facilement.

*$S = 4,8 + 27 + 5,2 = (4,8 + 5,2) + 27$.*
*Or $4,8 + 5,2 = 10$ donc $S = 10 + 27 = 37$.*

▶ Attention : **on ne peut pas changer l'ordre des termes d'une soustraction.**

### Multiplication

▶ **Pour multiplier deux nombres décimaux :**
– **on effectue l'opération** comme s'il n'y avait pas de virgule ;
– **on place la virgule** au résultat en comptant le total des chiffres à droite de la virgule dans les deux facteurs.

```
        6, 3 1
     ×     5, 7
     ----------
      4 4 1 7
  + 3 1 5 5 .
  -----------
    3 5, 9 6 7
```

*6,31 a deux chiffres à droite de la virgule et 5,7 en a un, donc leur produit en a* ***trois****.*

▶ Le résultat d'une multiplication est un **produit**.

# Vanilla Ice Cream Recipe

**Ingredients for Vanilla Ice Cream**

1 pint milk
¾ cup sugar
5 egg yolks
1 cup heavy cream
1 teaspoon vanilla

**Recipe**

1. Pour the milk and the vanilla into a saucepan and stir.
2. Scald the milk with the vanilla.
3. In a bowl, beat and mix the egg yolks and the sugar.
4. Pour the milk into the bowl and stir.
5. Pour the mixture back into the saucepan.
6. Heat gently, stirring until it thickens.
7. Leave to cool, stir in the cream and freeze.

- L'impératif
- *This / that*

**VOCABULAIRE**

**1 pint** ≈ ½ litre
**cup:** tasse ; ici, 1 cup ≈ 1/4 de litre
**sugar:** sucre
**egg yolks:** jaunes d'œuf
**heavy cream:** crème fraiche épaisse
**teaspoon:** cuillère à café
**pour:** verser
**saucepan:** casserole
**stir:** remuer
**scald:** faire chauffer
**bowl:** saladier
**beat:** battre
**heat gently:** faire chauffer doucement
**thicken:** épaissir
**leave to cool:** laisser refroidir
**freeze:** congeler

## Compréhension

**1** **Chaque dessin illustre une étape de la recette. Écris sous chacun d'eux le numéro de l'étape correspondante.**

a n° ..................
b n° ..................
c n° ..................
d n° ..................


CORRIGÉS → p. 111

**2** **Barre les ingrédients qui ne sont pas utilisés dans la recette de la glace à la vanille.**

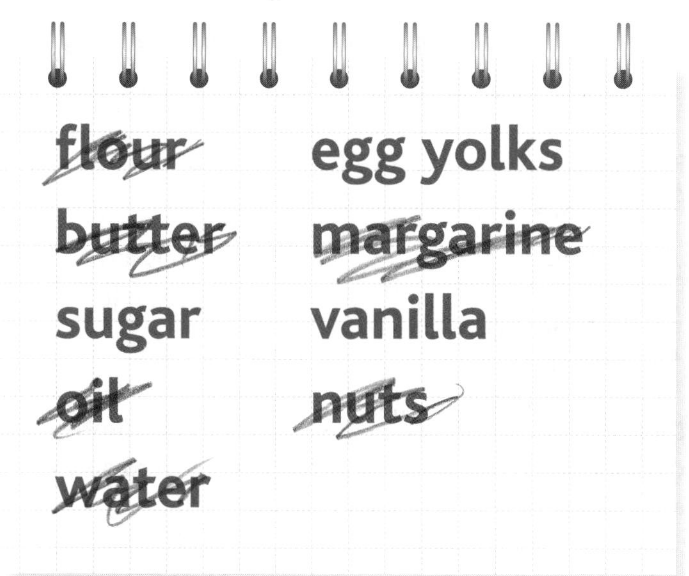


## Grammaire

**3** **Le père de Suzie veut faire un régime. Que lui dit son médecin ? Complète les phrases en utilisant l'impératif des verbes *eat* ou *drink* à la forme affirmative ou négative.**

a .................... sweets. They're bad for you!

b .................... water. Water is excellent for your health!

c .................... carrots. All vegetables are good!

d .................... soda. Sugar is not good for you!

**4** **Complète les phrases à l'impératif en choisissant parmi les verbes suivants :**
***not open – fry – cut (...) in two***

a .................... the door!

b .................... the potatoes .................................... .

c .................... the eggs, please!

**5** **Complète ces phrases avec *this*, *that* ou *these*.**

a .................... apple pie is really delicious!

b And .................... cookies are very good too!

c What's .................... over there?

## LE COURS

### L'impératif

**Pour donner un ordre**, on utilise l'impératif.

▶ Pour un **ordre positif**, on emploie seulement la **base verbale du verbe**.

*Be careful!*
*Drink a glass of milk!*

▶ Pour un **ordre négatif**, on utilise ***don't*** **+ la base verbale du verbe.**

*Don't buy hamburgers again!*
*Don't eat all the biscuits!*

### *This / that*

▶ On utilise ***this*** ou son pluriel ***these*** pour désigner **quelque chose ou quelqu'un qui est près de soi**.

*This is bread and these are pancakes.*
*What's this on the table?*

▶ On utilise ***that*** et son pluriel ***those*** pour désigner **quelque chose ou quelqu'un qui se trouve plus loin**.

*– Is that a coconut in the shop over there?*
*– Yes, it is, and those are kiwis!*

### Info plus

▶ **L'ice cream sundae** est le dessert glacé le plus consommé aux États-Unis. C'est une coupe de glace recouverte de sirop et de crème Chantilly. Mmmh !

Laquelle choisir ?

La **Turtle Sundae** est nappée de caramel et de noix de pécan grillées.

La **Brownie Sundae** est un mélange de chocolat avec des cacahouètes et des brownies, sans oublier la cerise confite !

CORRIGÉS ➜ p. 111

# Habiter un espace à forte(s) contrainte(s) ou de grande biodiversité

## LE COURS

### Les contraintes expliquent les faibles densités

▶ Dans les espaces à forte contrainte, les **habitants sont peu nombreux**, car les **activités humaines sont difficiles** à cause du climat dans certaines zones tropicales (arides) et les zones polaires (froides). Les **populations des hautes montagnes** font face à la **pente, l'altitude, le froid et la neige**. Les hommes souffrent de l'**isolement dans les iles et dans la forêt dense**.

▶ Cependant, ces espaces peuvent être des **milieux d'une grande biodiversité**, en particulier la forêt dense. La préservation de cette grande diversité d'espèces animales et végétales est un des enjeux du développement durable.

### Les contraintes dépendent des sociétés

▶ Les **contraintes** dépendent de la **volonté et du niveau de développement des populations**. Par exemple, l'étagement des cultures explique les fortes densités des hautes montagnes d'Amérique du Sud et de l'est de l'Afrique. Des **aménagements dans les transports**, la **communication** ou l'**énergie** permettent de **réduire l'impact** de certaines contraintes.

▶ Ces espaces à forte contrainte peuvent être aménagés pour **exploiter des ressources naturelles** qui s'y trouvent, comme le pétrole dans certains déserts chauds. **Parfois, les contraintes naturelles deviennent même des ressources.** Ainsi, la pente et l'enneigement de la haute montagne sont un atout pour le ski. Mais ces espaces sont fragiles et le développement des activités humaines peut les dégrader.

**1** **Relie la contrainte à la localisation qui lui correspond. (doc.)**

| | |
|---|---|
| Froid • | • zones tropicales |
| Chaud • | • zone équatoriale |
| Forêt dense • | • zones polaires |

**2** **Dans la légende, entoure d'un cercle les contraintes dues à l'isolement, de deux cercles celles dues au climat et souligne la contrainte due au relief. (cours et doc.)**

**3** **Indique à quel numéro noté sur la carte correspondent les lieux suivants. (doc.)**

Sahara : ....4....

Alpes : ....3....

Amazonie : ....1....

Sibérie : ....2....

La Réunion : ....5....

**DOC** Les espaces à fortes contraintes ou de grande biodiversité

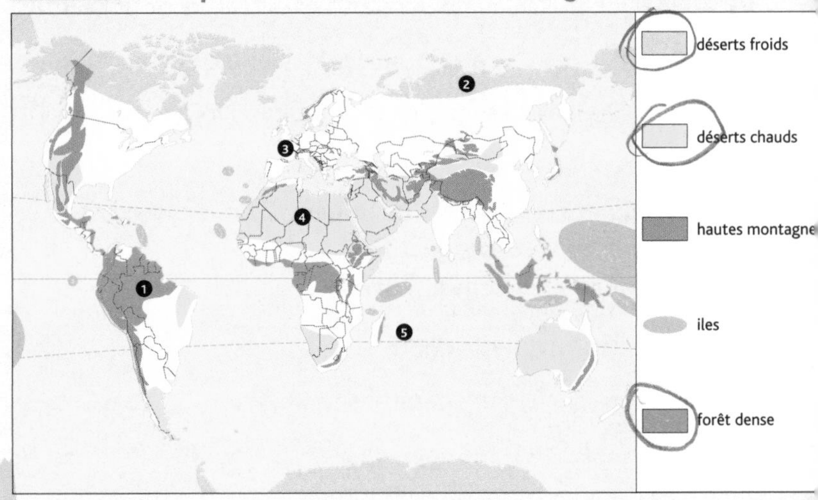


## VOCABULAIRE

**Aménagement :** action volontaire de mise en valeur d'un espace.

**Biodiversité :** nombre d'espèces et d'êtres vivants sur un espace donné.

**Contrainte naturelle :** élément de la nature qui gêne le développement des activités humaines.

 CORRIGÉS → p. 111

# Les plantes et leur reproduction

**1** **Complète les légendes du doc. 1 avec les mots suivants : un ovule et une graine.**

**2** **Le fruit de l'érable est constitué de deux graines très légères qui portent chacune une aile (doc. 2).**
**Qui transporte les graines de l'érable dans un nouveau milieu ? Justifie ta réponse.**

La fleur ....................................................

.............................................................................

**DOC 1**
**De la fleur au fruit chez la tulipe**

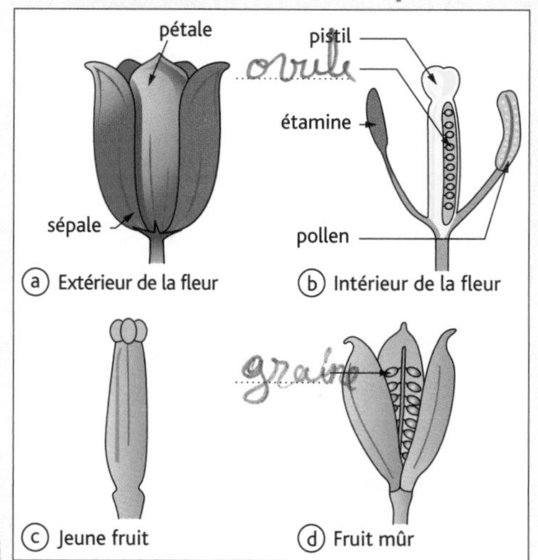


**DOC 2**
**Le fruit de l'érable**

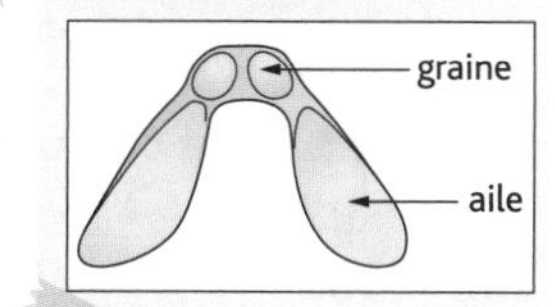


**3** **Numérote dans l'ordre chronologique les dessins du rhizome du polypode. (doc. 3)**

**DOC 3**
**Le rhizome du polypode**

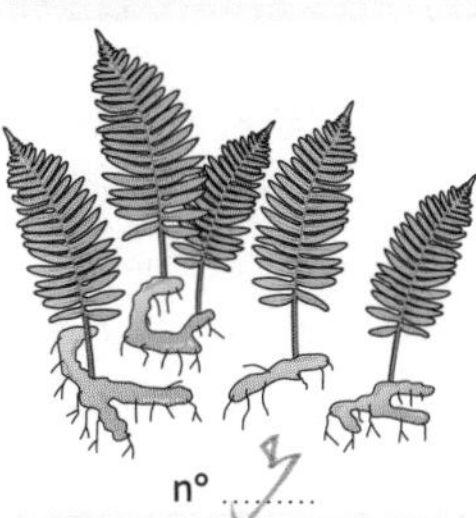


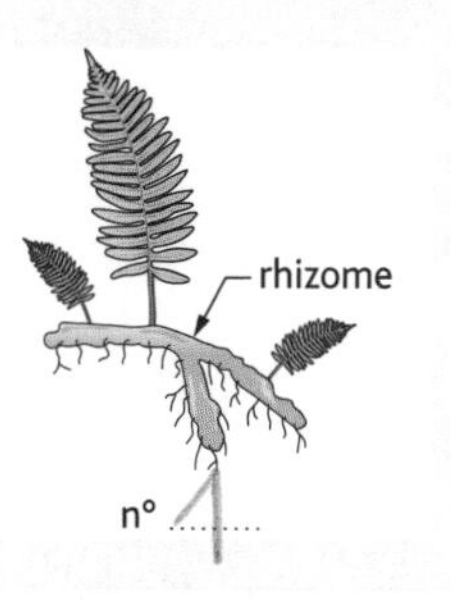


## LE COURS

### La reproduction des plantes à fleurs

▶ Au centre des fleurs se trouve un pistil contenant des ovules et, autour, des étamines produisant du pollen.

▶ Au printemps, le pollen, transporté par le vent ou des animaux, se dépose sur le pistil d'une fleur de la même espèce. C'est la **pollinisation**. Le pistil se transforme en fruit et les ovules en graines.

▶ Les **graines** sont transportées par le vent, par les animaux ou par l'eau.

▶ Arrivée dans un nouveau milieu, la graine peut se développer (le végétal miniature qui était à l'intérieur grandit) et donner un nouveau végétal à fleurs. C'est la **germination**.

### La reproduction asexuée

Certains végétaux utilisent des **rhizomes** (= tiges horizontales et souterraines) ou des **stolons** (= tiges horizontales et aériennes) qui produisent, à intervalles réguliers, de nouvelles plantes.

**Point expérience**

▶ Plonge dans l'eau 2 ou 3 graines de haricots pendant une nuit. Avec tes ongles ouvre-les. **Tu peux voir une plante miniature !**

▶ Place 10 graines de lentilles sur du coton mouillé à l'intérieur de ta maison pendant 10 jours. **10 nouvelles plantes vont se développer sous tes yeux !**

CORRIGÉS → p. 111

# Bilan de la séquence 3

**Ton score** /20

## Français

**1 Un verbe conjugué s'accorde en personne et en nombre avec son sujet.**

☒ Vrai ☐ Faux

/1

**2 Choisis dans la liste suivante le sujet qui manque à chaque verbe :**

*ces roses – tous les deux – Sophie – Jean*

............. est ravie car ............... a apporté des roses. ................ sont magnifiques. ................. sont passionnés par les fleurs et les plantes.

/2

**3 Entoure le verbe qui respecte l'accord avec le sujet.**

a. On y *accèdent – accède* par un chemin caché dans les broussailles.

b. Je *cherche – cherches* des yeux mes amis.

c. Il est tôt, personne ne m'*attend – attends* encore.

/3

**4 Souligne en bleu deux synonymes et en rouge deux antonymes.**

Son visage était d'une grande beauté. Pourtant, quand elle regardait sa figure dans le miroir, elle ne pouvait pas s'empêcher de n'y voir que de la laideur.

/1

## Maths

**5 Calcule la somme (tu peux poser l'opération à côté pour t'aider).**

25,4 + 9,23 = ......

```
   ... ... ,...
+  ... ,... ...
---------------
... ... ,... ...
```

/1

**6 Observe la position de la virgule et coche la bonne réponse.**

a. 25,4 – 9,23 = ..........

☐ 16,7 ☐ 1,617 ☐ 16,17

b. 4,65 × 2,3 = ..........

☐ 1069,5 ☐ 10,695 ☐ 106,95

/2

**7 Relie chaque calcul à son résultat.**

| | |
|---|---|
| 5,542 × 100 • | • 55 420 |
| 554,2 × 0,01 • | • 0,055 42 |
| 55,42 × 0,001 • | • 554,2 |
| 55,42 × 1 000 • | • 5,542 |

/4

## Anglais

**8 Tu donnes des conseils à un ami pour son voyage en France. Complète les phrases en conjuguant les verbes entre parenthèses à l'impératif.**

a. ....................... (*remember*) your passport!

b. ....................... (*not forget*) to bring your camera!

c. ....................... (*buy*) a small dictionary.

d. ....................... (*not get lost*) in the airport!

/2

**9 Complète avec *this*, *these*, *that* ou *those*.**

Is .......... a fast food restaurant over there?

.......... hamburgers look so good!

/2

## Géographie

**10 Les contraintes naturelles :**

a. ☐ gênent le développement des activités humaines.

b. ☐ resteront toujours insurmontables pour l'homme.

c. ☐ permettent parfois le développement d'une grande biodiversité.

/1

## Sciences et technologie

**11 Qu'est-ce que la germination ?**

..........................................................................

..........................................................................

..........................................................................

..........................................................................

..........................................................................

/1

# Teste-toi avant de commencer

## Français

**1 Le complément d'objet peut être supprimé ou déplacé.**

☐ Vrai ☒ Faux

/1

**2 Coche la phrase qui contient un complément d'objet.**

☒ a. Le devoir comporte de nombreuses fautes.
☐ b. Les élèves discutent dans la cour.

/1

**3 Souligne les deux compléments d'objet dans la phrase.**

Cette photo rappelle à Charlotte de bons souvenirs.

/2

## Maths

**4 Pour chaque angle, choisis parmi les valeurs 10°, 30°, 60°, 90°, 110°, 150°, 180°, sa mesure approchée, évaluée « à vue d'œil ».**

$\widehat{a}$ = 30°

$\widehat{b}$ = 150°

$\widehat{c}$ = 60°

$\widehat{d}$ = 90°

/8

## Anglais

**5 Coche le bon article.**

In New York City, people live in ....... apartments.

☒ ∅
☐ the
☐ a

/2

**6 Quel est le pluriel de *man* ?**

☐ mans
☒ men
☐ mens

/2

## Histoire

**7 Quel est le nom de la cité grecque qui a inventé la démocratie ?**

Athènes

/2

## Géographie

**8 Tous les espaces agricoles de faible densité sont pauvres et en difficulté.**

Vrai ou Faux ?

/2

**Ton score** /20

• Identifier le complément d'objet

# C'est pô juste !

ZEP, *La Loi du préau*, © Glénat, 2002.


CORRIGÉS → p. 112

## Compréhension

**1 Quel est le problème de Ramon ?**

- [x] Il écrit tout comme il entend.
- [ ] Il ne sait pas écrire les lettres.
- [ ] Il ne sait pas lire.

**2 Que fait Titeuf pour l'aider ?**

- [x] Il le laisse recopier sa feuille.
- [ ] Il écrit à sa place sur sa feuille.
- [ ] Il lui souffle les réponses à l'oreille.

## Grammaire

**3 Quelle est la fonction des groupes de mots soulignés ?**

**a** Il écrit <u>tout</u> : ........................

**b** Titeuf donne sa feuille <u>à Ramon</u> : ........................

**c** Les enfants récupèrent <u>leur copie</u> : ........................

**4 Identifie les trois compléments d'objet soulignés (COD ou COI).**

Titeuf pense tout le temps <u>à Nadia</u>, alors il <u>lui</u> déclare <u>son amour</u> avec une belle lettre.

↓ ........ ↓ ........ ↓ ........

**5 Quelle est la nature des compléments d'objet soulignés ?**

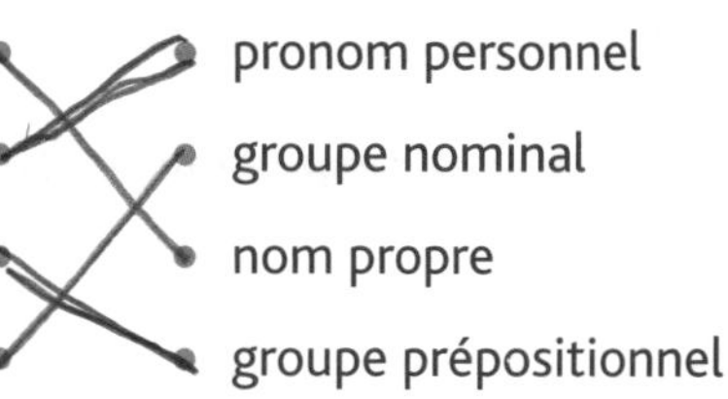

| | |
|---|---|
| **a** Titeuf voit <u>Nadia</u> arriver. | pronom personnel |
| **b** Il <u>la</u> suit des yeux. | groupe nominal |
| **c** Il propose un bonbon <u>à Nadia</u>. | nom propre |
| **d** Elle n'aime pas <u>les bonbons</u>. | groupe prépositionnel |

## Orthographe

**6 Réécris correctement ce que Ramon a noté :**

« Jean-Phil mé vaitmon. » ........................

**7 Corrige la faute commise par Ramon dans la 9e vignette :**

« J'a mis mon nom. » ........................

## LE COURS

Un complément d'objet est un complément **essentiel** dans la phrase : on ne peut **ni le déplacer, ni le supprimer**.

### Le COD

Le complément d'objet direct est **lié au verbe directement**, c'est-à-dire **sans préposition**.

*Les enfants font <u>des bêtises</u>.*

### Le COI

Le complément d'objet indirect complète un verbe **indirectement**, c'est-à-dire **avec une préposition** : *à*, *de*…

*Titeuf désobéit <u>à sa mère</u>.*

### Différencier COD et COI

Pour savoir s'il s'agit d'un COD ou d'un COI, on pose **une question** : si elle commence par **« que »**, **« qui »**, il s'agit d'un **COD**. Si la question commence par « **à** quoi », « **de** qui »…, il s'agit d'un **COI**.

*Il mange <u>une glace</u>.*
*→ Que mange-t-il ?* → COD
*Il parle <u>à sa copine</u>.*
*→ À qui parle-t-il ?* → COI

Coup de pouce

### Distinguer COD et attribut du sujet

▶ **L'attribut du sujet** se construit avec ***être*** ou un **verbe d'état**. Il se rapporte au sujet.

*L'enfant est <u>amusant</u>.*
attribut du sujet

▶ **Le COD** complète le verbe.

*L'enfant a <u>beaucoup d'amis</u>.*
COD

CORRIGÉS → p. 112

# Beach soccer

## 1 Une partie de foot sur la plage ?

Le beach soccer - ou football de plage - se joue sur le sable, avec deux équipes de cinq. Cristiano, Neymar, Zlatan, Messi et le goal s'échauffent en faisant circuler le ballon. Leur position sur le terrain est indiquée par leur initiale.

**a Observe la figure et complète avec les bonnes étiquettes, sans utiliser le rapporteur.**

30° 60° 90° 120° 180°

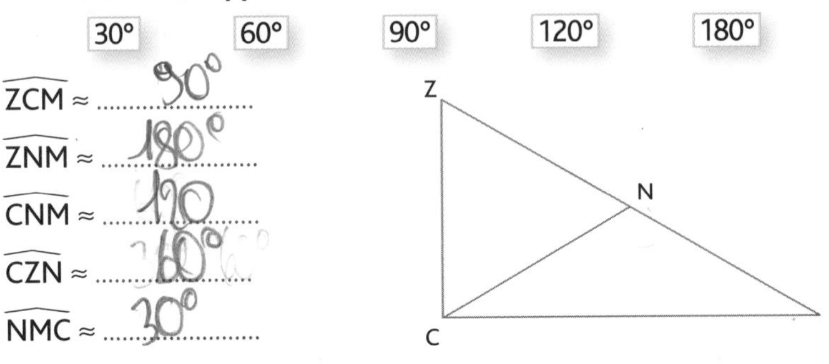


$\widehat{ZCM} \approx$ 90°

$\widehat{ZNM} \approx$ 180°

$\widehat{CNM} \approx$ 120

$\widehat{CZN} \approx$ 60°

$\widehat{NMC} \approx$ 30°

**b Complète avec les mots** *droit*, *plat*, *aigu*, *obtus*.

$\widehat{NCM}$ est un angle obtus .

$\widehat{MNC}$ est un angle aigu .

$\widehat{MCZ}$ est un angle droit .

$\widehat{MNZ}$ est un angle plat .

Marque ces angles sur la figure pour bien les repérer.

• Angles et rapporteur

## 2 Et un, et deux, et trois... zéro !

Grizou, grand spécialiste, s'entraine à tirer des coups francs depuis les positions marquées C, D, E sur la figure ci-contre. Les poteaux de but sont repérés par les points A et B. Les points A, B, E, D et C sont situés sur un même cercle de centre P.

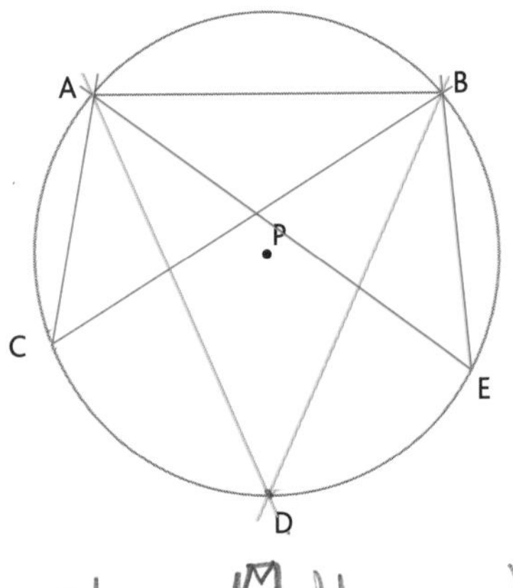


No Mathematical instruments for the rest

**a Mesure au rapporteur les angles de tirs suivants.**

$\widehat{ACB} \approx$ .................... ° ; $\widehat{ADB} \approx$ .................... ° ; $\widehat{AEB} \approx$ .................... °.

**b Trace et mesure l'angle de tir lorsque le joueur est au point P de penalty.**

$\widehat{APB} \approx$ .................... °.

**c Compare les mesures de ces angles de tir et entoure à chaque fois la bonne réponse.**

| | | |
|---|---|---|
| $\widehat{ACB}$, $\widehat{ADB}$ et $\widehat{AEB}$ sont égaux. | Vrai | Faux |
| La mesure de $\widehat{APB}$ est le double de celle de $\widehat{ADB}$. | Vrai | Faux |
| Il est plus facile de tirer du point P. | Vrai | Faux |

 CORRIGÉS → p. 112

## 3 Droit au but !

La partie démarre très fort : Katie (K) centre pour Sarah qui trompe la gardienne Grace (G) et marque un but.

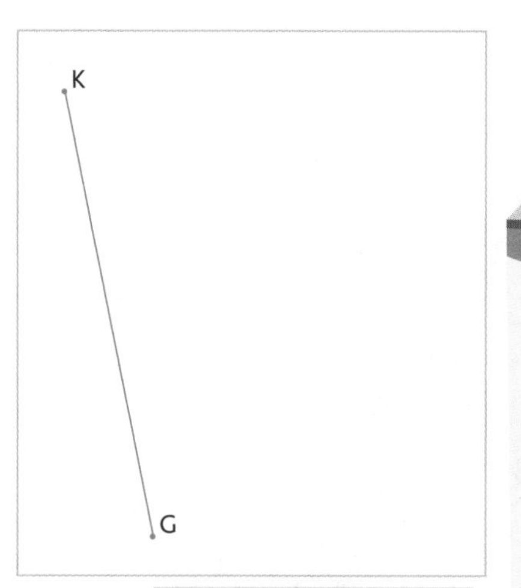


**a Retrouve la position du point S représentant Sarah, sachant que $\widehat{GKS} = 30°$ et $\widehat{KGS} = 100°$.**

**b Mesure $\widehat{KSG}$, puis calcule la somme des angles du triangle KGS.**

Tu dois retrouver ainsi une propriété générale des triangles.

$\widehat{KSG}$ = ............ °

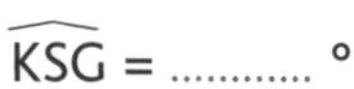

$\widehat{KSG} + \widehat{GKS} + \widehat{KGS}$ = ............ + ............ + ............ = ............ °

## DÉFI VACANCES

**Le gardien est-il bien placé ?**

Pour augmenter ses chances d'arrêter le tir de Titi (T), le gardien Hugo (H) devrait partager l'angle de tir $\widehat{ATB}$ (A et B représentant les poteaux) en deux angles de même mesure. Vérifie s'il s'est mis au bon endroit !

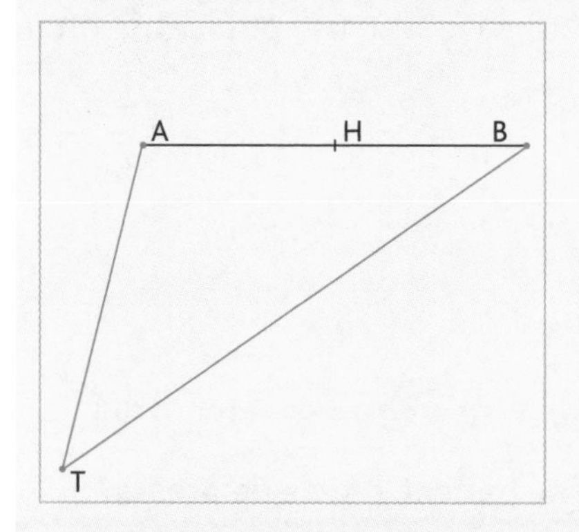

**a Exécute le programme de construction suivant :**

- Trace un arc de cercle de centre T qui coupe les côtés de l'angle en deux points U et V.
- En conservant le même rayon, trace un arc de cercle de centre U, puis un arc de cercle de centre V. Ces deux arcs se coupent en T et en un point W.
- Trace la demi-droite [TW).

**b Vérifie au rapporteur que $\widehat{WTA} = \widehat{WTB}$.**

**c Le gardien reste au milieu de ses buts. Est-il bien placé ?**

☐ Oui ☐ Non

## LE COURS

### Définition d'un angle

▶ Un angle est une portion de plan délimitée par deux demi-droites de même origine.

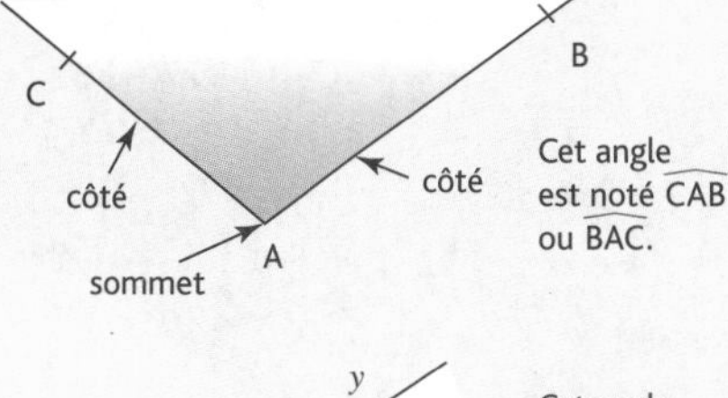


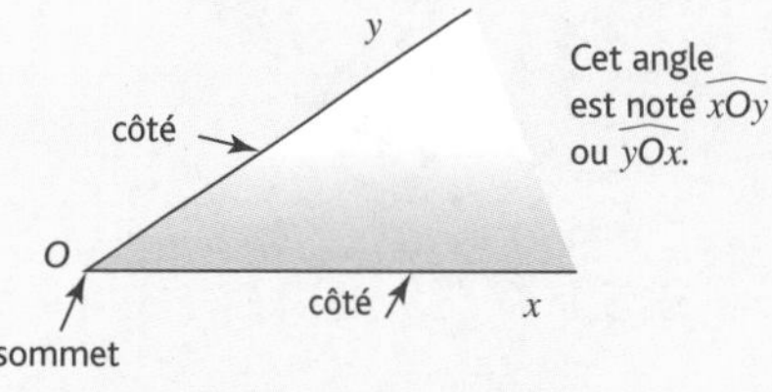


▶ Le **rapporteur** sert à mesurer les angles. Il est gradué en **degrés**.

▶ Un angle **droit** mesure **90°**.

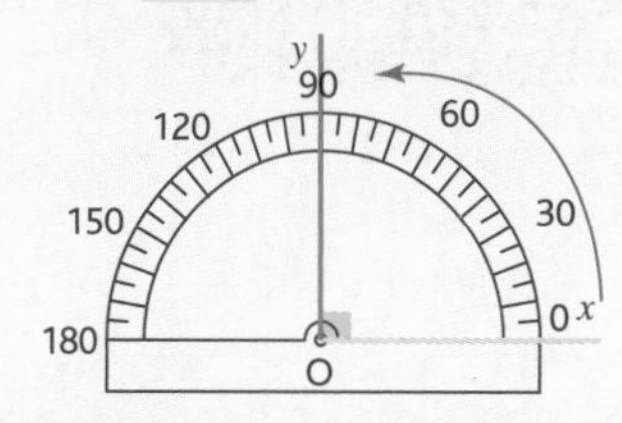


Un angle **plat** mesure **180°**.
Un angle **aigu** mesure moins de **90°**.
Un angle **obtus** mesure plus de **90°**.

### Pour mesurer un angle avec un rapporteur

1. On place le centre du rapporteur au sommet de l'angle.
2. On aligne la graduation 0° sur l'un des côtés.
3. On lit la graduation correspondant au deuxième côté.

*Ici, $\widehat{AOB} = 60°$.*

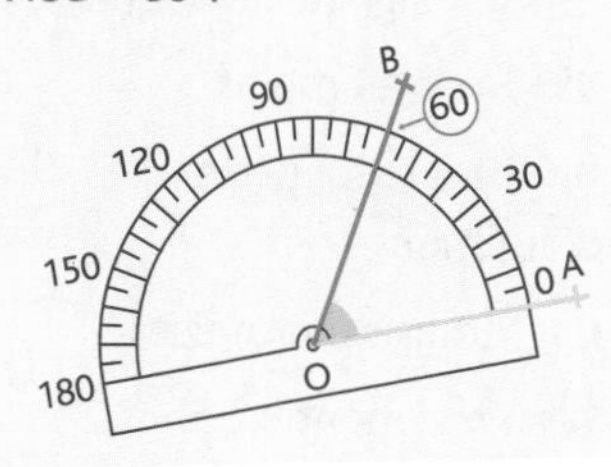


CORRIGÉS ➜ p. 112

# Huh? Yeah, I have an iPod!

- Le pluriel des noms
- Les articles

More than half of high-school students report having at least one symptom of hearing loss associated with the use of portable music players such as iPods and other MP3 players...

28 percent of high-schoolers say they have to turn up the volume of their television or radio.

29 percent of high-schoolers say: "What?" or "Huh?" often during normal conversations.

**VOCABULAIRE**

**huh?:** exprime la surprise (« hein ? » ou « quoi ? »)
**high-school students:** lycéen(ne)s
**report:** signaler, dire que
**at least:** au moins
**hearing loss:** perte d'audition
**use:** utilisation/utiliser
**turn up:** monter

## Compréhension

**1** **Coche l'appareil concerné par cet article de presse.**

☐ a ☒ b ☐ c ☐ d

**2** **Souligne la phrase qui résume le mieux cet article.**

a Some students who use MP3 players don't see very well.
b Some students who use MP3 players don't speak very well.
c Some students who use MP3 players don't hear very well.


CORRIGÉS → p. 113

3 **Recopie la phrase du texte qui illustre la réponse de l'exercice 2.**

More than half of high-school students report having at least one symptom of hearing loss with the use of portable music players.

## Grammaire

4 **Réécris les phrases suivantes en séparant correctement les mots. Retrouve et entoure les noms de deux appareils électroniques.**

a Ilikemylittledigitalcamera
I like my little digital camera.

b dadhasgottwocomputers
Dad has got two computers.

5 **Complète par *a*, *an*, *the* ou ø.**

a Is this a CD player?
Yes, it is, but it's an old one!

b What are these? Are they ø old records?
Yes, they are. Very old ones!

c Look! I've got a new mobile phone!
Do you like it?

d Well, the colours are nice, but I think the screen is too small.

6 **Mets chacune de ces phrases au pluriel.**

a I am a student. We are students

b This is your ticket. These are your tickets

c This is my friend. These are my friends

d Look at the photo of my mother! Look at the photos of my mother.

## LE COURS

### Le pluriel des noms

▶ La marque du pluriel en anglais est un **s final**.
– *a message → three messages*
– *an e-mail → two e-mails*

▶ Certains noms ont un **pluriel irrégulier**.
– *child → children – man → men*
– *tooth (une dent) → teeth*
– *foot (un pied) → feet...*

### Les articles

▶ ***a(an), the, Ø***

| | singulier | pluriel |
|---|---|---|
| **article indéfini** | ***a*** (un/une) | **Ø** (des) |
| **article défini** | ***the*** (le/la) | ***the*** (les) |

***a*** devient ***an*** devant une voyelle ou un ***h*** muet.
*an address – an hour*

▶ **Comment choisir entre l'article indéfini et l'article défini ?**

• L'article indéfini ***a*** désigne **un type d'objet sans préciser lequel**.
*Give me a pen!* (il y a plusieurs stylos, j'en veux **un, n'importe lequel**)

• L'article défini ***the*** désigne **un objet précis**.
*Give me the red pen!* (il y a plusieurs stylos, je veux **celui-ci, pas un autre**)

### Info plus

▶ Internet est né dans les années 1960 au sein de l'armée américaine, mais c'est au début des années 1990 que l'utilisation du signe @ se répand.

On trouvait pourtant déjà ce signe sur les factures, où il indiquait le prix d'un article à l'unité.

Par exemple, « *2 tables @ $25* » se lisait « *Two tables at twenty-five dollars each* ».

En anglais, le @ se prononce *at* ; il introduit un lieu ; le @ des adresses email indique qu'une personne est à tel endroit : @ + le nom du serveur.

CORRIGÉS → p. 113

# Le monde des cités grecques

## LE COURS

### Une culture panhellénique

▶ **Les Grecs sont unis par leur culture**. Ils parlent tous la **même langue** qu'ils apprennent avec les poèmes attribués à Homère, *L'Iliade* et *l'Odyssée*. Ils sont **polythéistes** et se réunissent dans des **sanctuaires** comme celui de Delphes où ils consultent l'oracle d'Apollon.

▶ Les Grecs vivent dans des **cités-États** qui sont souvent en conflit. **Du VIII^e au VI^e siècle av. J.-C.**, des Grecs **quittent leur cité** et la Grèce pour **fonder des colonies** tout autour de la Méditerranée.

### Athènes et la démocratie

▶ **Au V^e siècle av. J.-C.**, la **démocratie nait à Athènes**. Seuls les **hommes libres, nés de père et de mère athéniens, sont citoyens et ont le pouvoir**. Mais la vie civique et religieuse permet aux autres habitants (femmes, étrangers et esclaves) de participer à la vie de la cité.

▶ Les **citoyens votent les lois à l'Ecclésia, élisent les magistrats** ou peuvent être **tirés au sort pour exercer certaines fonctions**. Ils ont l'**obligation de participer à la défense de la cité,** par exemple en étant hoplites (guerriers grecs combattant à pied et lourdement armés).

### VOCABULAIRE

**Panhellénique :** qui est partagé par tous les Grecs.

**Citoyen :** personne possédant les droits politiques, civiques et juridiques de la cité dans laquelle elle vit.

**Démocratie :** régime politique dans lequel le peuple a le pouvoir.

**Ecclésia :** assemblée des citoyens athéniens.

**1** **Complète la grille de mots croisés à l'aide des mots qui rappellent ce qui est commun aux Grecs.**

**Vertical**
1. croyance en plusieurs dieux
2. état grec indépendant
4. ville possédant un sanctuaire panhellénique où sont prononcés des oracles

**Horizontal**
3. un des poèmes d'Homère
5. personne qui a des droits politiques

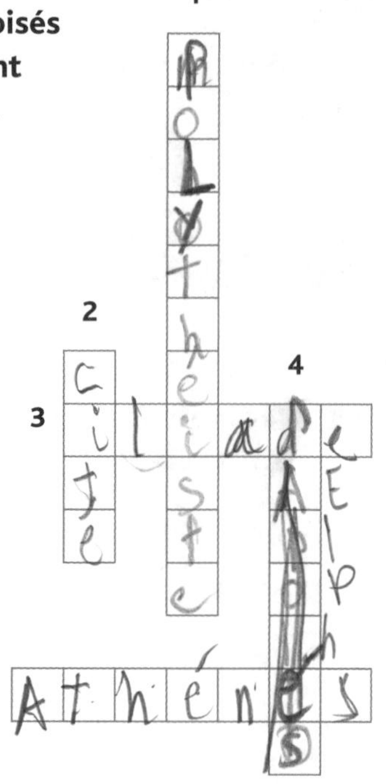


**2** **Dans le texte ci-dessous, encadre la phrase qui définit la démocratie.**
**Souligne quatre expressions qui montrent le pouvoir du citoyen dans une démocratie. (doc.)**

**3** **Quand Périclès dit « nous », de qui parle-t-il ? (cours et doc.)**

La minorité

**DOC**

Comme les décisions sont prises par le plus grand nombre et non par une minorité, notre cité est une démocratie. Nous intervenons tous personnellement dans le gouvernement de la cité au moins par notre vote ou même en présentant nos idées. Nous élisons les magistrats qui se succèdent à la tête de la cité en fonction du mérite de chacun et nous les surveillons. L'égalité est assurée à tous face à la loi.

Périclès, d'après Thucydide, *La Guerre du Péloponnèse*, V^e siècle avant J.-C.

 CORRIGÉS → p. 113

# Habiter un espace agricole de faible densité

**1** **Coche dans le tableau la situation qui correspond à chaque espace agricole. (doc. 1 et 2)**

| | Exploitation aux États-Unis | Village de Madagascar |
|---|---|---|
| Agriculture commerciale | X | |
| Petites exploitations | | X |
| Agriculture productiviste | X | |
| Agriculture vivrière | | X |
| Agriculture traditionnelle | | X |
| Grandes exploitations | X | |

**2** **Complète la légende du texte en notant en face de chaque couleur le numéro d'une expression qui décrit la situation de ce paysan de Madagascar. (doc. 3)**

1 = problèmes environnementaux ; 2 = agriculture commerciale ; 3 = pauvreté ; 4 = agriculture vivrière

■ : 4 ■ : 3 ■ : 2 ■ : 1

**3** **Dans quels types de pays se trouvent ces paysans ? (cours et doc. 1 et 2)**

Doc 1 : Dans les pays émergents et riches Doc 2 : Dans les pays en développement

**DOC 1** Exploitation aux États-Unis

**DOC 2** Village de Madagascar

**DOC 3** Le témoignage d'un paysan de Madagascar

Mon village se situe dans le sud de Madagascar. Je cultive du maïs et des légumes et j'élève deux ou trois zébus[1]. La moitié de la récolte sert à nous nourrir et je vends le reste. Il y a quelques années, nous avons perdu une partie de la récolte de manioc[2] à cause du manque de pluie. Il y a aussi beaucoup plus d'insectes.

WWF, *Témoignages de Madagascar. Changement climatique et modes de vie ruraux*, 2011.

1. Bœuf africain
2. Arbuste dont on consomme les racines

## LE COURS

### Dans les pays riches et émergents

▶ Dans les pays riches et certains pays émergents, les agriculteurs travaillent dans de **grandes exploitations modernes** utilisant des **engrais, l'irrigation ou les pesticides**. Mais l'environnement et la santé des consommateurs sont menacés par cette **agriculture productiviste et commerciale**.

▶ Les espaces agricoles les plus proches des villes connaissent des **conflits d'usage** : la superficie consacrée aux terres agricoles est grignotée par l'installation de populations urbaines. À l'opposé, **les espaces ruraux éloignés des villes sont en déprise** : ils perdent des habitants et des activités.

### Dans les pays en développement

▶ Une grande partie des paysans des pays en développement travaillent dans de **petites exploitations** avec des outils simples. Ils pratiquent surtout une **agriculture vivrière** qui obtient de **faibles rendements**.

▶ Des **cultures commerciales se développent** dans de grandes exploitations. Cependant, une partie de la population part vivre en ville : c'est **l'exode rural**. Enfin, **ces espaces sont fragilisés** par la déforestation, l'érosion des sols ou la désertification.

### VOCABULAIRE

**Agriculture productiviste :** agriculture intensive et mécanisée dans le but d'obtenir la plus grande production possible.

**Agriculture commerciale :** agriculture destinée à être vendue.

**Agriculture vivrière :** agriculture destinée à être consommée par ceux qui l'ont cultivée.

CORRIGÉS → p. 113

# Bilan

## de la séquence 4

Ton score ....... /20

### Français

**1 Quelle est la phrase qui contient un complément d'objet souligné ?**

a. Le professeur demande à chacun de se lever.

b. La sirène retentit à la fin de la classe.

/1

**2 Souligne le complément d'objet dans chaque phrase.**

a. Nadia s'émerveille de la beauté du ciel.

b. Elle prend une photo.

/1

**3 Indique si le complément souligné est COD ou COI.**

a. La région possède des paysages fabuleux.

..........

b. Elle pense à sa famille.

..........

/1

**4 Indique la nature des compléments d'objet soulignés :**

nom propre – groupe nominal – pronom personnel – groupe prépositionnel

a. Tina pense sans arrêt à sa grand-mère.

→ ..............................

b. As-tu rencontré ma petite cousine au marché ?

→ ..............................

c. Le professeur a questionné Élisa.

→ ..............................

d. Mes amis ne l'ont pas aperçue au concert.

→ ..............................

/1

### Maths

Figure commune aux questions 4 et 5.

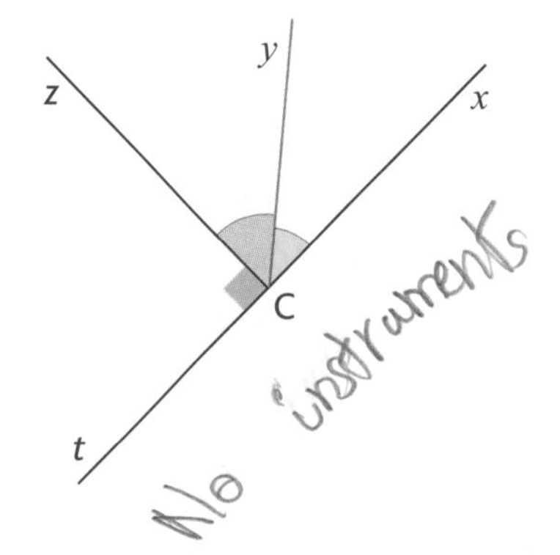


**5 Mesure les angles au rapporteur et complète.**

$\widehat{xCy}$ = ........ °

$\widehat{yCz}$ = ........ °

$\widehat{yCt}$ = ............... °

$\widehat{xCt}$ = ........ °

/4

**6 Complète avec les mots « aigu », « droit », « obtus » ou « plat ».**

$\widehat{xCt}$ est un angle ............... ;

$\widehat{yCz}$ est un angle ............... ;

$\widehat{yCt}$ est un angle ............... ;

$\widehat{zCt}$ est un angle ............... .

/4

### Anglais

**7 Complète les phrases avec *a/an*, *the* ou pas d'article (∅).**

Look at ........ pictures of the zoo! They're beautiful!

Can you see me on ........ photo?

I've got ........ red T-shirt on!

This is a picture of ........ alligator.

Young alligators eat ........ insects.

/3

**8 Mets cette phrase au pluriel.**

She is a dancer.

..............................

/1

### Histoire

**9 Tous les Grecs :**

a. ☐ sont polythéistes.

b. ☐ vivent dans une démocratie.

c. ☐ connaissent les poèmes d'Homère.

/2

### Géographie

**10 Les espaces agricoles peu peuplés des pays riches :**

a. ☐ peuvent être en déprise.

b. ☐ ne connaissent pas de problèmes environnementaux.

c. ☐ servent à pratiquer une agriculture commerciale.

/2

## Teste-toi avant de commencer

### Français

**1 Le passé simple s'emploie pour décrire des faits répétitifs dans le passé.**

[x] Vrai [ ] Faux

/1

**2 Coche le verbe correctement conjugué au passé simple.**

Les méchantes sœurs ......... le bonheur de Cendrillon.

[ ] envièrent [ ] envient [x] enviaient

/1

**3 Conjugue *dire* au passé simple à la 2e personne du pluriel.**

Vous ................................

/2

### Maths

**4 Complète les égalités.**

72 : 8 = ... puisque 8 × ... = 72
54 : 9 = ... puisque 9 × ... = 54
48 : 6 = ... puisque 6 × ... = 48
28 : 7 = ... puisque 7 × ... = 28

/4

**5 Complète la liste ci-dessous.**

Les dix premiers nombres divisibles par 2 sont :
0 ; 2 ; ... ; ... ; ... ; ... ; ... ; ... ; ... ; ...

/4

### Anglais

**6 À l'aide des indications données en début de phrase, complète avec *can* ou *can't* pour dire ce que tu sais faire ou non.**

a. yes → I ............... ride a bike.
b. no → I ............... run one kilometre.

/2

**7 Complète avec *must* ou *mustn't*.**

a. I ............... chat in class.
b. I ............... do my homework.

/2

### Histoire

**8 Romulus et Remus auraient été élevés par :**

[ ] un ours.
[ ] un aigle.
[x] une louve.

/2

### Sciences et technologie

**9 « Cellule » vient du latin *cellula*. Que signifie alors ce nom ?**

[ ] « petite chambre »
[ ] « grande place »
[x] « petite place »

/2

**Ton score** /20

# Le miroir merveilleux

Le père de la Belle a offensé la Bête. Pour obtenir réparation, la Bête a exigé que la Belle lui soit livrée et demeure dans son château. C'est ainsi que celle-ci arrive dans la magnifique demeure de la Bête.

La Belle s'assit dans la grande salle et se mit d'abord à pleurer puis elle résolut de ne point se chagriner pour le peu de temps qu'elle avait à vivre, car elle croyait fermement que la Bête la mangerait le soir. Elle résolut de se promener et de visiter ce beau château. Elle 5 fut bien surprise de trouver une porte sur laquelle il y avait écrit : *Appartement de la Belle.* Elle ouvrit cette porte avec précipitation et fut éblouie de la magnificence[1] qui y régnait ; mais ce qui frappa le plus sa vue, ce fut une grande bibliothèque, un clavecin[2] et plusieurs livres de musique. Elle pensa : « Si je n'avais qu'un jour 10 à demeurer ici, on ne m'aurait pas fait une telle provision. » Cette pensée ranima son courage. Elle ouvrit la bibliothèque et vit un livre où il y avait écrit en lettres d'or : *Souhaitez, commandez : vous êtes ici la reine et la maîtresse.* « Hélas ! dit-elle en soupirant, je ne souhaite rien que de voir mon pauvre père et de savoir ce 15 qu'il fait à présent. » Quelle fut sa surprise, en jetant les yeux sur un grand miroir, d'y voir sa maison, où son père arrivait avec un visage extrêmement triste. Un moment après, tout cela avait disparu et la Belle ne put s'empêcher de penser que la Bête était bien complaisante[3] et qu'elle n'avait rien à craindre d'elle.

Madame LEPRINCE DE BEAUMONT,
*La Belle et la Bête*, 1757.

- Lire un conte
- Conjuguer au passé simple

VOCABULAIRE

1. **Magnificence :** splendeur, éclat.
2. **Clavecin :** instrument de musique à clavier.
3. **Complaisante :** qui a envie de faire plaisir.

## Compréhension

**1 Vrai (V) ou faux (F) ? Entoure la bonne réponse.**

a La Belle est invitée au château de la Bête pour les vacances. V F 

b La Belle craint que la Bête veuille la manger.  F

c La Belle découvre un miroir magique où elle peut voir tout ce qu'elle souhaite. V F 

d La Belle et la Bête ne se connaissent pas encore.  F

**2 La Bête reçoit la Belle...**

☐ dans un endroit sombre et effrayant. ☐ dans une modeste maison.
☐ dans une cabane au fond des bois.  dans un magnifique château.

 CORRIGÉS → p. 114

## Conjugaison

**3 Remets ce résumé de conte dans l'ordre en t'aidant des temps utilisés.**

Dès qu'il la vit apparaitre au bal, le prince tomba amoureux d'elle.
Un jour, un bal eut lieu en l'honneur du prince.
Il était une fois une jeune fille martyrisée par sa belle-mère et ses belles-sœurs depuis la mort de son père.
La jeune fille put s'y rendre grâce à l'intervention de sa marraine la fée qui la couvrit d'atours somptueux.
Ils vécurent heureux jusqu'à la fin de leur vie.
Elles la traitaient comme une servante et lui faisaient faire tout le ménage.
Quand il sut la véritable identité de la belle jeune fille, il l'arracha à son triste sort et l'épousa.

**Numéros dans l'ordre :** 36 2 4 1 7 5

**4 Relis la première phrase du texte. Quel est le point commun des verbes en bleu ? Donne leur infinitif.**

Ils sont aux passé simple : s'asseoir / se mettre / resolver / avoir / croire ;

**5 Entoure dans le texte tous les autres verbes qui sont à la même personne et aux mêmes temps que les verbes en bleu dans la première phrase.**

**6 Complète le tableau avec les verbes que tu as entourés. Attention, il y a un piège.**

| Infinitif des verbes du 1er groupe | Infinitif des verbes du 2e groupe (*-issons*) | Infinitif des autres verbes |
|---|---|---|
| ........ | ........ | ........ |
| ........ | ........ | ........ |
| ........ | ........ | ........ |

## Vocabulaire

**7 Trouve des mots de la même famille.**

a magnificence (nom) → Magnifique (adjectif)
b complaisante (adjectif) → compléter (nom)

## LE COURS

### Le conte

Dans le conte, on trouve généralement des personnages, des lieux ou des objets **magiques**. On parle de conte **merveilleux**. Les personnages sont rarement nommés. Ils sont très peu décrits. On ne les connait que **par leurs actions**.

### Le passé simple

**▶ Quand utiliser le passé simple ?**

Le passé simple permet de **raconter** des évènements au **passé**.
Dans les textes au passé simple, on trouve souvent de l'imparfait : le passé simple est utilisé pour **raconter des faits précis**, l'imparfait pour **décrire** et raconter les **faits répétitifs**.

*La jeune femme avançait.* (imparfait)
*Elle aperçut soudain un clavecin.* (passé simple)

**▶ Conjuguer au passé simple**

Les terminaisons du passé simple changent selon l'infinitif du verbe.

- **Verbes du 1er groupe** : il *jou-a*, ils *jou-èrent*
- **Verbes du 2e groupe** (*-issons*) : il *fin-it*, ils *fin-irent*
- **Verbes irréguliers du 3e groupe :**
  *aller → il alla* — *faire → il fit*
  *dire → il dit*
  *prendre → il prit*
  *pouvoir → il put*
  *voir → il vit*
  *venir → il vint*
  *vouloir → il voulut*
- ***Être* et *avoir* :**
  *être → il fut* — *avoir → il eut*

CORRIGÉS → p. 114

# L'esprit d'équipe

## 1 Les tournois

À la fin d'une colonie de vacances, les animateurs organisent des tournois dans différents sports. Une équipe est composée de cinq joueurs pour le basketball, sept pour le handball. Il y a 47 participants pour le basket et 61 pour le handball.

**a Complète les phrases et les égalités pour calculer le nombre d'équipes de basket formées.**

45 : 5 = ………… parce que 5 × ………… = 45.

Donc 45 joueurs forment ………… équipes de basket.

Tu en déduis que 47 = (5 × …………) + …………

Donc 47 joueurs forment ………… équipes de basket mais il restera ………… remplaçants.

**b Complète les phrases et les égalités pour calculer le nombre d'équipes de handball formées.**

56 : 7 = ………… parce que 7 × ………… = 56.

Donc 56 joueurs forment ………… équipes de handball.

Tu en déduis que 61 = (7 × …………) + …………

Donc 61 joueurs forment ………… équipes de handball mais il restera ………… remplaçants.

- Division
- Critères de divisibilité

## 2 Ça ne tourne pas rond...

Au centre de vacances *L'Ovalie*, le rugby est roi : les matchs se jouent à quinze contre quinze. Combien d'équipes pourront être formées avec les 427 joueurs volontaires ?

| 4 2 7 | 1 5 |
|---|---|
| – . . | . . |
| . . 7 | |
| – . . . | |
| . | |

**a Effectue la division euclidienne en suivant la démarche.**

- En 42, combien de fois 15 ? ………… fois. ………… × 15 = …………
- De 30 pour aller à 42, il reste …………
- Tu abaisses le chiffre suivant, qui est 7.
- En …………, combien de fois 15 ? ………… fois. ………… × 15 = …………
- De 120 pour aller à 127, il reste …………
- Il n'y a plus de chiffres à abaisser au dividende, donc la division euclidienne est terminée : le quotient approché à l'unité près est ………… et le reste est …………

Vérifie que le reste est bien inférieur au diviseur.

**b Complète la conclusion.**

427 = (………… × …………) + ………… . Donc 427 joueurs formeront ………… équipes de 15 et il restera ………… remplaçants.

**Un nombre entier est divisible...**

– par **2** lorsqu'il est pair (il se termine donc par 0, 2, 4, 6 ou 8) ;
– par **5** lorsqu'il se termine par 0 ou par 5 ;
– par **10** lorsqu'il se termine par 0 ;
– par **4** lorsque le nombre formé par ses deux derniers chiffres est divisible par 4 ;
– par **3** lorsque la somme de ses chiffres est divisible par 3 ;
– par **9** lorsque la somme de ses chiffres est divisible par 9.


CORRIGÉS → p. 114

## 3 C'est du costaud !

À la fin du tournoi de rugby, les trois équipes montées sur le podium ont été pesées… et il y a de « beaux gabarits » !
La masse totale des 45 joueurs est 3 927,78 kg.
Quelle est la masse moyenne d'un joueur, au gramme près ?

**a Complète la division commencée ci-dessous en suivant la démarche.**

| 3 927,78 | 45 |
|---|---|
| 327 | 87 |
| 12 | |

- Le quotient approché de 3 927,78 par 45 à l'unité près est …………
- Continue la division en plaçant la ……………… au quotient et abaisse le chiffre des dixièmes au dividende : c'est ………………
- En 127, combien de fois 45 ? ………… fois.
- ………… × 45 = …………

Pour aller à 127, par soustraction, il reste …………

- 87,2 est le quotient approché de 3 927,78 par 45 au ……………… près.

**b Poursuis la division jusqu'au millième, puis complète.**

Le reste est ……………… donc ……………… est le quotient exact de 3 927,78 par 45.
Conclusion : la masse moyenne d'un joueur est ………,……… kg.

1 kg = 1000 g, donc le gramme est le millième du kilogramme.

## DÉFI VACANCES

**Qui suis-je ?**

Pour me trouver, tu disposes de cinq indices… Fais-en bon usage !

**Complète chaque ☐ par le chiffre découvert.**

a Je suis un nombre entier strictement compris entre 300 et 400 : ☐☐☐

b Je suis divisible par 5 : ☐☐☐ ou ☐☐☐

c Je suis aussi divisible par 2 : ☐☐☐

d Je suis aussi divisible par 4 : ☐☐☐ ou ☐☐☐ ou ☐☐☐ ou ☐☐☐

Cherche, dans la liste des multiples de 4, ceux qui se terminent par 0.

e Je suis aussi divisible par 9.
Conclusion : je suis ☐☐☐.

La somme des chiffres doit être multiple de 9.

# LE COURS

## Division euclidienne

$a$ et $b$ étant deux nombres entiers ($b \neq 0$), effectuer la division euclidienne de $a$ par $b$, c'est chercher le **quotient entier** $q$ et le **reste entier** $r$ tels que $a = (b \times q) + r$ avec $r < q$.

$a$ est le **dividende**, $b$ est le **diviseur**.

*Pour diviser 367 par 8, on pose l'opération :*

*dividende* → 367 ; *diviseur* → 8

| 3 6 7 | 8 |
|---|---|
| 4 7 | 4 5 |
| 7 | |

*reste* → 7 ; *quotient* → 45

Conclusion : 367 = (8 × 45) + 7 (et 7 < 8)

## Division décimale de deux entiers

Lorsque la division euclidienne a un reste non nul, on peut poursuivre la division au dixième, puis au centième…

On cherche ainsi le nombre $q$ tel que $a = b \times q$ où $q$ peut être décimal ou non.

$\frac{a}{b} = q$ signifie que $a = b \times q$.

*Comme 367 = 367,0, on poursuit la division précédente :*

| 3 6 7, 0 0 0 | 8 |
|---|---|
| 4 7 | 4 5, 8 7 5 |
| 7 0 | |
| 6 0 | |
| 4 0 | |
| 0 | |

*45,8 est le quotient **approché au dixième** de 367 par 8.*
*45,875 est le **quotient exact**.*
*367 : 8 = 45,875 qui est un décimal.*

## Division d'un décimal par un entier

*Pour diviser 45,8 par 12, on pose l'opération ci-dessous.*

| 4 5, 8 0 0 | 1 2 |
|---|---|
| 9 8 | 3, 8 1 6 |
| 2 0 | |
| 8 0 | |
| 8 | |

*Ici, le reste n'est jamais nul donc la division ne s'arrête pas.*

CORRIGÉS → p. 114

# Can dogs climb trees?

- *Can / can't*
- *Must / mustn't*

## Compréhension

**1 Que savent vraiment faire les chiens ? Donne une réponse brève.**

*Exemple :* Can dogs play rugby? → *No, they can't!*

a Can they jump?

→ ..........

b Can they speak English?

→ ..........

c Can they sing?

→ ..........

**2 Écris *right* en face de la phrase qui correspond à la bande dessinée et *wrong* en face de l'autre.**

a This dog can climb very well. ..........

b This dog thinks it can climb very well. ..........

### VOCABULAIRE

**grab on:** s'agripper
**climb:** grimper
**that's all propaganda:** c'est ce qu'on veut nous faire croire, mais ce n'est pas forcément vrai
**need:** avoir besoin de
**thumb:** pouce
**there you go:** allez, vas-y
**I could:** je pourrais
**hope:** espérer
**be scared of heights:** avoir le vertige

 CORRIGÉS → p. 115

## Grammaire

**3** **Les enfants demandent tous la permission de faire quelque chose : Nina sur sa bouée, Mary à côté de sa mère et Tim debout. Que souhaitent-ils faire ? Complète les questions qu'ils posent à leur mère.**

a NINA: Mum, can I ..........................................

.................................................................?

b MARY: Mum, ..........................................

.................................................................?

c TIM: Mum, ..........................................

.................................................................?

**4** **Ces petits doivent tous faire quelque chose pour la première fois.**
**Que leur dit leur maman pour les encourager ? Utilise les verbes *swim* (nager), *hunt* (chasser) et *fly* (voler).**

*Exemple: You must jump!*

a You .......................................... !

b ..........................................

c ..........................................

**5** **Complète ces phrases par *can*, *can't* ou *must*.**

A tennis player .............................. have a racket. He .............................. play with his left hand but he .............................. have his dog on the court!

## LE COURS

### Can / can't

▶ On utilise ***can*** :

– pour parler de **ce que l'on sait faire**, d'une activité que l'on pratique ;
*He can play the piano.*

– pour **demander ou donner une permission**.
*Can I go to the cinema?*

▶ On utilise ***can't*** :

– pour parler de **ce que l'on ne sait pas faire** ;
*She can't speak German.*

– pour exprimer une **interdiction**.
*You can't take photos here!*

### Must / mustn't

▶ On emploie ***must*** pour exprimer **une obligation**.
*I must help Mum.*

▶ On emploie ***mustn't*** pour marquer **une interdiction**.
*You mustn't smoke!*

CORRIGÉS → p. 115

# Rome, du mythe à l'histoire

## LE COURS

### La fondation légendaire de Rome

▶ Les Romains racontent qu'ils seraient les **descendants d'Énée, prince de Troie et fils de Vénus.** Arrivé en Italie, il aurait épousé la fille d'un roi local, Latinus.

▶ **En 753 avant J.-C., Rome aurait été fondée par Romulus.** Avec son jumeau Remus, il serait **descendant d'Énée et fils du dieu Mars.** Ils auraient été **abandonnés et élevés par une louve.** Alors qu'ils auraient décidé de créer une cité sur le lieu où ils auraient été recueillis, **Romulus aurait tué son frère et fondé Rome sur la colline du Palatin.** Pour peupler sa ville, Romulus aurait fait enlever les femmes du peuple des Sabins.

### L'histoire de la fondation de Rome

▶ Les archéologues ont montré que **les Latins**, un peuple de bergers et de paysans, **occupaient le site de Rome au VIIIe siècle avant J.-C.** C'est seulement **au VIe siècle avant J.-C. que Rome devient une vraie cité,** sous la domination de rois étrusques.

▶ Le **mythe de la fondation de Rome** a été mis par écrit seulement **au Ier siècle avant J.-C.**, sous le règne de l'empereur Auguste. Cette histoire sert à **unir les Romains**, qui se considèrent comme **un grand peuple appelé par les dieux à dominer le monde.** Cette légende permet aussi à de grandes familles, comme celle de **Jules César**, de se donner des **origines prestigieuses** justifiant leur pouvoir.

### VOCABULAIRE

**Mythe :** récit de dieux et de héros.

**1 Complète le texte suivant. (cours)**

Rome aurait été fondée par .................................................... sur le Palatin en .................................................... .

À cette époque, les archéologues ont trouvé que le lieu était occupé par le peuple des .................................................... .

**2 Complète l'arbre généalogique en reportant les noms encadrés dans le texte. Encadre les dieux. (doc.)**

Vénus — Anchise
↓
a. .......................... — Créuse
↓
Ascagne
↓
b. .......................... — c. ..........................
↓
d. .......................... / Remus

**3 Que veulent montrer César et ses descendants avec cette histoire ? (cours)**

..........................................................................................

..........................................................................................

..........................................................................................

**DOC Le destin d'Énée et de sa descendance**

C'est là [à Albe la Longue] que pendant trois cents ans, la royauté demeurera aux mains des descendants d'Énée, jusqu'au jour où Rhéa Silvia, [...] enfantera du dieu Mars deux fils jumeaux, Romulus et Remus. Ensuite, fier des forces acquises sous la protection d'une louve sa nourrice, l'un deux, Romulus, prendra en charge la nation et fondera les murailles de Mars : de son nom il nommera les Romains. [...]
Un troyen paraîtra, d'une lignée bénie, César, pour étendre [l'empire des Romains] jusqu'à l'océan, leur renom jusqu'aux astres.

D'après Virgile, *Énéide*, chant I, Ier siècle avant J.-C.

# Unité structurelle du vivant

**1** **Quel est le point commun entre la paramécie et la peau d'ognon ? (doc. 1 et doc. 2)**

.................................................................................................

**2** **Repasse en bleu la membrane d'une cellule de peau d'ognon. (doc. 2)**

**3** **Relie deux à deux les mots ci-dessous.**

paramécie • • être vivant pluricellulaire

peau d'ognon • • être vivant unicellulaire

**4** **La paramécie est observée avec un microscope optique dont l'objectif grossit 100 × et l'oculaire grossit 5 ×. (doc. 1)**

**a** Calcule le grossissement du microscope optique. ..........................

**b** Quelle est la longueur réelle de la paramécie ?

0,11 mm ❑ 55 mm ❑ 27 500 mm ❑

**DOC 1**
**Paramécie observée au microscope optique**

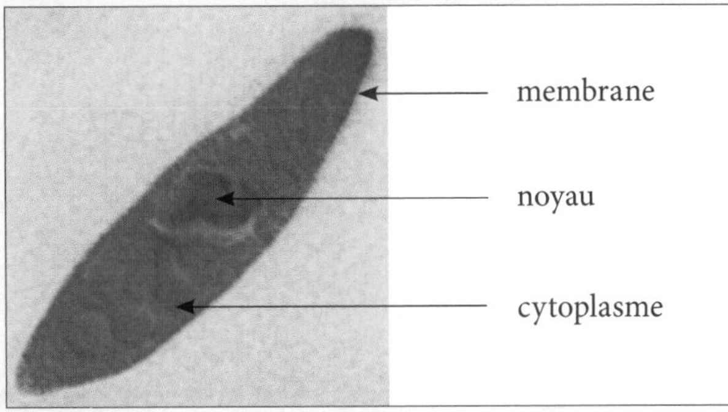


**DOC 2**
**Cellules de peau d'ognon observées au microscope optique**

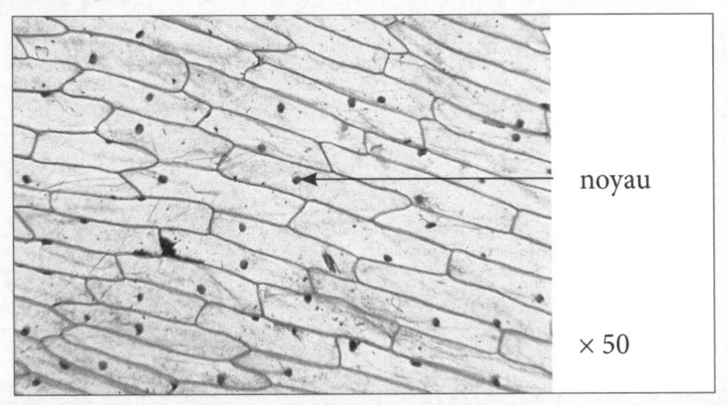


## LE COURS

### La cellule

Tous les êtres vivants ont un point commun. Ils sont formés de cellule(s).

▶ Une cellule est délimitée par une **membrane**. À l'intérieur, on trouve le **cytoplasme** qui contient le **noyau**.

▶ Certains êtres vivants sont constitués d'une seule cellule : ce sont des êtres vivants **unicellulaires**.

▶ Certains êtres vivants sont constitués de plusieurs cellules : ce sont des êtres vivants **pluricellulaires**.

## Point expérience

### Déterminer la taille réelle d'un objet observé avec le microscope optique

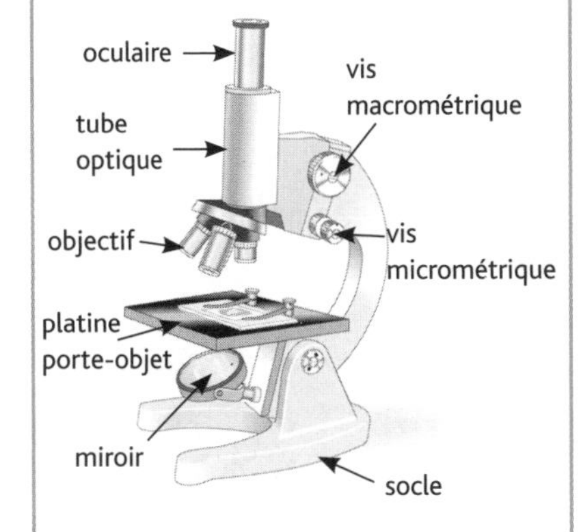


▶ L'objet que tu observes avec le microscope optique est grossi au niveau de l'objectif et au niveau de l'oculaire.

▶ Le grossissement du microscope optique est égal au grossissement de l'objectif multiplié par le grossissement de l'oculaire.

▶ Pour déterminer la taille réelle de l'objet observé, tu dois diviser la taille agrandie de l'objet par le grossissement du microscope optique.

CORRIGÉS → p. 115

# Bilan de la séquence 5

Ton score ....... /20

## Français

**1 Quelle est la forme correcte du verbe *prendre* au passé simple à la 3e personne du singulier ?**

☐ prend
☐ prit
☐ prît

/1

**2 Conjugue le verbe *voir* au passé simple.**

Il ..........................................

Ils ..........................................

/1

**3 Coche le verbe correctement conjugué au passé simple.**

a. Le monstre .......... de séduire la jeune fille.
☐ tente
☐ tentait
☐ tenta

b. La vie de la famille .......... paisible.
☐ fut
☐ était
☐ sera

c. L'histoire .......... bien.
☐ finira
☐ finissait
☐ finit

/3

## Maths

**4 Dans la liste 24, 506, 810, 1 235, détermine les nombres divisibles...**

a. par 3 : ..............................
b. par 4 : ..............................
c. par 5 : ..............................
d. par 10 : ..............................

/4

**5 a. Sachant que 633 = (36 × 17) + 21, place et nomme le dividende, le diviseur, le quotient et le reste de la division correspondante.**

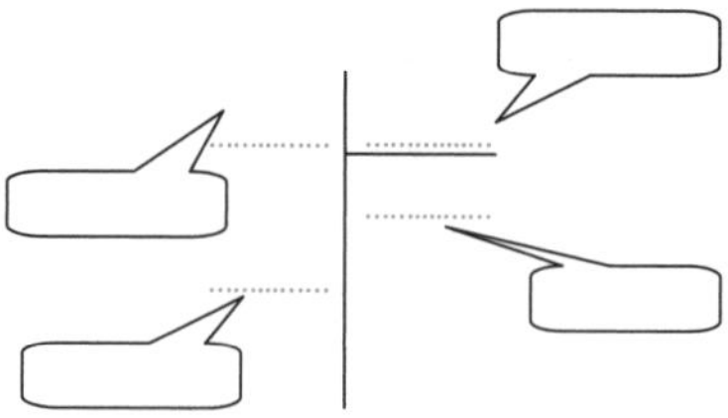

/2

**b. Poursuis la division ci-dessous au dixième près.**

```
486 | 29
196 | 16, .
 22 .|
   . .|
```

/2

## Anglais

**6 Choisis entre *can* et *can't*.**

You .......... watch television after 10, it's too noisy!

☐ can ☐ can't

/1

**7 Choisis entre *can* et *must*.**

.......... we use an iPod?

☐ Can ☐ Must

/1

**8 Choisis entre *must* et *mustn't*.**

You .......... play football in your room.

☐ must ☐ mustn't

/1

**9 Choisis entre *can* et *mustn't*.**

.......... we get up at 9 o'clock when we are tired?

☐ Can ☐ Mustn't

/1

## Histoire

**10 Rome aurait été fondée par :**

☐ Énée
☐ Romulus
☐ Auguste

/1

## Sciences et technologie

**11 Quel est le point commun à tous les êtres vivants ?**

..............................................................
..............................................................
..............................................................
..............................................................

/2

# SÉQUENCE 6

## Teste-toi avant de commencer

### Français

**1 Conjugue au passé composé le verbe *aller*.**

Elles .............................. à la foire.

/2

**2 Souligne les déterminants dans la phrase suivante.**

Le plateau de fruits est apporté par notre cuisinière sur un chariot.

/3

**3 Barre le mot qui ne relève pas du champ lexical de la cuisine.**

enfourner – déguster – pêcher – poivrer – cuisson

/2

### Maths

**4 Construis le symétrique de ce losange par rapport à l'axe tracé en bleu.**

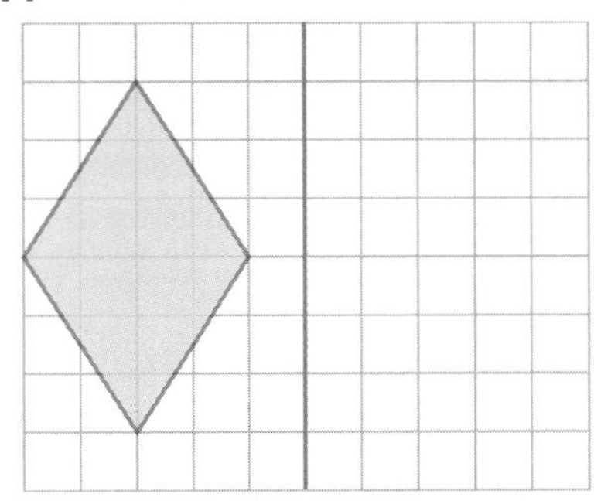

/2

**5 *d* est-il un axe de symétrie pour ces figures ? Réponds par oui ou par non.**

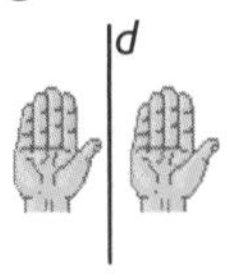


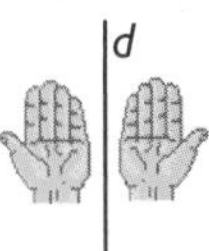

......... ......... .........

/3

### Anglais

**6 Complète avec la forme correcte au présent simple.**

......... Lucy take the bus every day?

☐ Do ☐ Does ☐ Don't

/2

**7 Quelle est la bonne traduction ?**

I always get up at 7 o'clock.

☐ Je ne me lève jamais à 7 heures.

☐ Je me lève toujours à 7 heures.

/2

### Géographie

**8 Quelle part de la population mondiale vit sur les côtes ?**

☐ Un homme sur deux

☐ Un homme sur trois

☐ Deux hommes sur trois

/2

### Sciences et technologie

**9 Quels sont les trois types d'éléments qui composent notre environnement ?**

..............................................................................

/2

**Ton score** /20

# Un drôle de menu !

- **Accorder le participe passé**
- **Reconnaitre les déterminants**
- **Relever un champ lexical**

*Jonathan Cavendish et sa sœur Olivia passent leurs vacances avec leur mère en Norvège. Ils tiennent un journal de bord dans lequel ils racontent leurs aventures.*

Pas génial, le dîner… […]

Jonathan non plus n'a pas eu l'air de remarquer que c'était un menu « une étoile ». Je crois même que ça l'a arrangé, après le chocolat chaud de cet après-midi. Moi aussi, en fait. Sauf que moi, ce n'est pas la glace qui m'a coupé l'appétit. […] De toute façon je n'avais pas le temps de cuisiner, parce que j'avais prévu une révision complète : shampoing lissant, gel défrisant (j'en ai vraiment marre de mes cheveux frisés !) et masque au concombre.

En me voyant râper du concombre, Jonathan m'a demandé si je préparais des tatamis ! Je veux bien admettre qu'il se fiche de la cuisine, mais de là à confondre le tzatziki grec (concombre râpé, ail, yaourt, huile d'olive et menthe) avec les tapis d'arts martiaux, il abuse ! Quand je pense qu'il me fait une scène à chaque fois que j'ai le malheur d'employer un mot à la place d'un autre…

Pour le tatami-tzatziki, j'ai préféré ne pas répondre. […] Suite du menu : petits pois à la Chouchen (= passés directement de la boîte à la casserole, sans oignons ni persil ni beurre ni rien…) et dessert à la Jonathan (= crème de marron en tube versée telle quelle dans les assiettes, sans fromage blanc ni crème fraîche ni rien).

Et maintenant rideau sur le dîner.

NICODÈME et LEFÈVRE, *Dossier Mørden*, Nathan, 2007.

**Coup de pouce**

**Le champ lexical**

▶ Un champ lexical est un **ensemble de mots qui appartiennent au même thème**.

▶ Ces mots peuvent appartenir à des **classes grammaticales différentes**.

*Champ lexical des oiseaux :* *gazouillements* (nom), *ailes* (nom), *voler* (verbe)…

## Compréhension

**1 Que signifie un « menu "une étoile" » ici ?**

- [x] Si bon qu'il mérite une étoile.
- [ ] Si mauvais qu'il ne mérite qu'une étoile.

**2 Pourquoi ce menu arrange-t-il Jonathan ?**

- [x] Il n'a pas faim.
- [ ] Il aime beaucoup les petits pois.


CORRIGÉS → p. 116

## Grammaire

**3 Complète les groupes nominaux avec un déterminant de la liste suivante : les – quelques – l' – des – ma – la**

.....ma..... sœur n'aime pas .....les..... haricots. Elle mange parfois .....les..... légumes mais pas ceux-là. Elle supporte .....la..... tomate, seulement cuite, et adore par-dessus tout déguster .....des..... pommes de terre. Moi, j'aime tout tant que j'ai de .....l'..... appétit.

**4 À quel temps sont les verbes en couleur dans le texte et son chapeau ?**

.......................................................................................

**5 Réécris les phrases suivantes en conjuguant les verbes soulignés au passé composé. Attention à l'accord du participe passé !**

**a** Mon frère <u>prépare</u> une salade composée. Les ingrédients <u>forment</u> un drôle de plat. Alors il <u>repart</u> au marché.

.......................................................................................

.......................................................................................

**b** Elle <u>sort</u> de la cuisine avec une bouteille de soda. Mais cette dernière <u>explose</u> à l'ouverture.

.......................................................................................

.......................................................................................

## Vocabulaire

**6 a À quel champ lexical ces groupes de mots du premier paragraphe appartiennent-ils ?**

le menu, le chocolat chaud, la glace qui m'a coupé l'appétit, cuisiner, concombre → .......................................................................................

**b** Entoure dans le reste du texte trois autres mots qui appartiennent au même champ lexical.

**7 Barre, dans la liste suivante, le mot qui n'appartient pas au même champ lexical que les autres.**

enquête – détective – meurtre – chaussure – cadavre – indices – alibi

## LE COURS

### Les déterminants

**▶ Fonction**

Les déterminants font partie du **groupe nominal** ; ils déterminent le nom qu'ils précèdent. Ils s'accordent en genre et en nombre avec ce nom.

**▶ Classe grammaticale**

| | | |
|---|---|---|
| **articles définis** | le, la, les | *les enfants* |
| **articles indéfinis** | un, une, des | *un dossier* |
| **déterminants démonstratifs** | ce, cet, cette, ces | *ces crudités* |
| **déterminants possessifs** | ma, ton, ses... | *son assiette* |

### Le passé composé

Le passé composé d'un verbe est constitué du verbe ***avoir*** ou du verbe ***être*** conjugué au présent et du **participe passé** du verbe.

*Nous <u>sommes</u>* (être au présent) + *<u>partis</u>.* (part. passé de *partir*)

*J'<u>ai</u>* (*avoir* au présent) + *<u>mangé</u>.* (part. passé de *manger*)

### L'accord du participe passé

**▶ Avec *être***, le participe passé s'accorde **avec le sujet** du verbe conjugué.
*Ils sont revenus ; elle est partie...*

**▶ Avec *avoir***, le participe passé **ne s'accorde jamais avec le sujet**.
*Mamie Rose a raconté son histoire.*

CORRIGÉS → p. 116

# Des vacances « nature »

• Symétrie axiale
• Médiatrice

## 1 Photos souvenirs

Pendant leurs vacances, Vincent, Théo et leurs parents ont visité des monuments, se sont promenés dans la campagne et ont pris de nombreuses photos.

**a Coche les images qui sont symétriques et trace alors leur axe de symétrie.**

☐ 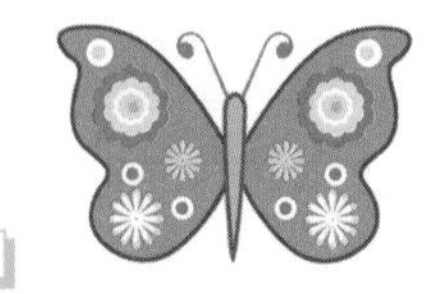 ☐  ☐ 

**b Sur chacune de ces images, *d* est-il un axe de symétrie ? Réponds par *oui* ou par *non*.**

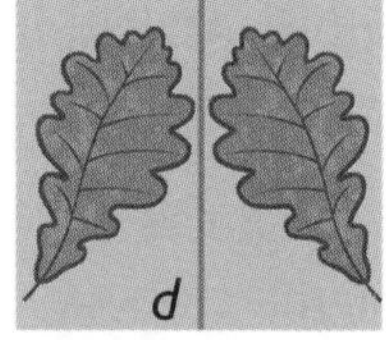

1. .........................  2. .........................

3. .........................  4. .........................

Imagine un pliage le long de *d* : les deux parties de l'image se superposent-elles ?

## 2 L'artiste au travail

Vincent, artiste amateur, a dessiné un cerf-volant. Il voudrait tracer le symétrique du cerf-volant par rapport à l'axe (AB).

**a Exécute le programme de construction suivant au compas.**
Pour construire le point C', symétrique du point C par rapport à (AB) :
**1.** trace le cercle de centre A passant par C et le cercle de centre B passant aussi par C ;
**2.** ces deux cercles se coupent en C et en un point qui est le point C' cherché.

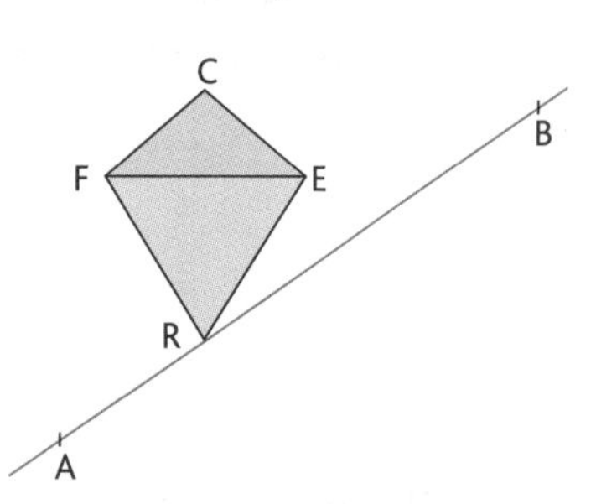


Tu peux tracer [CC']. (AB) est perpendiculaire à [CC'] en son milieu.

### • Construire le symétrique d'une figure par rapport à un axe

On construit le symétrique de chaque point de la figure par rapport à cet axe : on obtient une figure superposable à celle de départ.

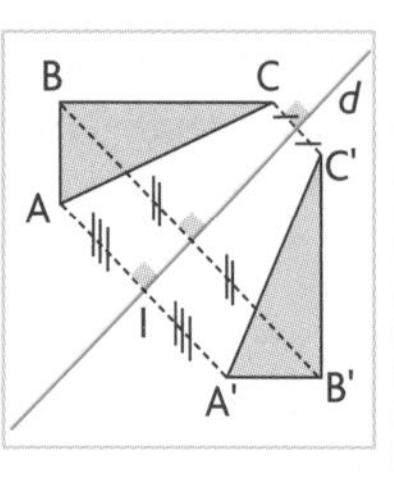

**b Construis de la même façon les points E' et F' symétriques de E et F.**

**c Trace C'E'RF' puis coche les réponses qui conviennent.**

- Le symétrique de R : ☐ est R lui-même. ☐ n'existe pas.
- Le symétrique du cerf-volant CERF est aussi un cerf-volant.
  ☐ oui ☐ non

## 3 La ligne de jeu

Après le piquenique dans un grand parc, Vincent (V) et Théo (T) sont autorisés à aller jouer, pourvu qu'ils restent à égale distance de leur père (P) et de leur mère (M).

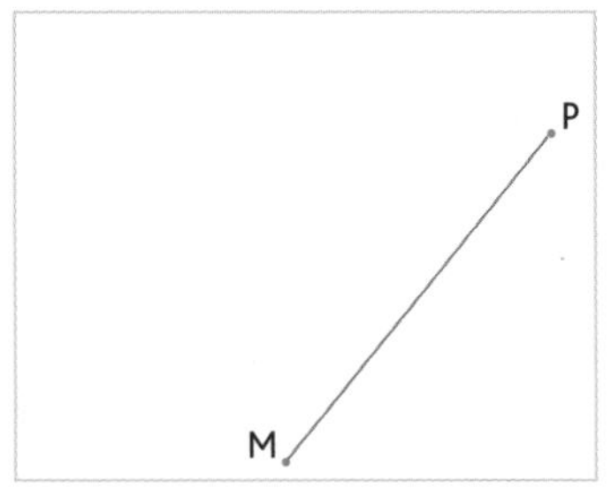

Figure 1

M
V
T
Figure 2

**a Sur la figure 1, construis l'ensemble des positions possibles de Vincent et Théo.**

**b Sur la figure 2, construis au compas la position P du père.**

**c Observe la figure 2 et complète les phrases avec M, P, V, T.**

(............) est la médiatrice du segment [............]. Le point ............ est le symétrique de M par rapport à (............).

## DÉFI VACANCES

**Cherche l'erreur !**

Ce pêcheur et son reflet dans le lac devraient être symétriques. Sauras-tu retrouver les cinq erreurs commises par le dessinateur ? **Entoure les parties incorrectes du reflet.**

# LE COURS

## Médiatrice d'un segment

**▶ Définition**

La médiatrice d'un segment est la droite **perpendiculaire à ce segment en son milieu**.

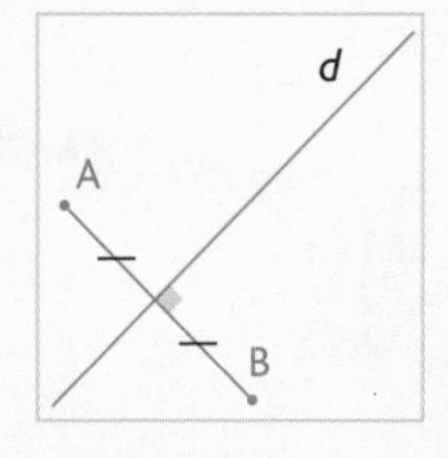


**▶ Propriétés**

La médiatrice d'un segment est l'ensemble des **points équidistants des extrémités du segment**.

*d étant la médiatrice de [AB] :*
*– **si** M ∈ d **alors** MA = MB ;*
*– si NA = NB alors N ∈ d.*

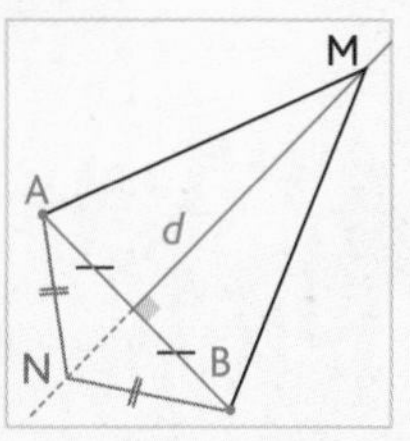


## Symétrie axiale

▶ Une symétrie axiale agit comme un **pliage** ou un **reflet** dans un miroir : elle « retourne » l'image.

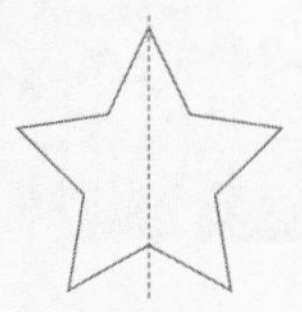

▶ Une figure est **symétrique** lorsqu'elle admet un **axe de symétrie**, c'est-à-dire lorsqu'en la pliant le long de cet axe, **les deux parties se superposent**.

▶ **Le symétrique d'un point A par rapport à une droite *d*** est le point A' tel que *d* est la **médiatrice du segment** [AA'].

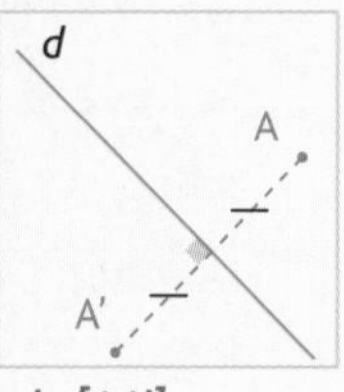


*d est l'axe de symétrie de [AA'].*

CORRIGÉS → p. 116

# Surfing in Hawaii

Do you want to learn how to surf safely?

Do you want to be taught by a friendly instructor who is kind and patient?

Do you want to learn a fun way to stay in shape?

Join us!

- Le présent simple
- Les adverbes de fréquence

## Compréhension

**1 D'après le texte, parmi ces moniteurs, lequel pourrait enseigner dans cette école de surf ?**

a Coche son portrait.

1 ☐ 2 ☐ 3 ☐ 4 ☐

b Relève dans le texte les trois adjectifs qui t'ont guidé(e).

1 .................................. 2 .................................. 3 ..................................

**2 Écris *right* en face de la phrase qui correspond à la publicité et *wrong* en face de l'autre.**

a In this school you learn fast, but it is dangerous. ..............................

b Surfing is a fun way to stay in shape. ..............................

### VOCABULAIRE

**want:** vouloir
**learn:** apprendre
**safely:** en toute sécurité
**be taught by:** être instruit par
**friendly:** sympathique
**kind:** aimable
**way:** façon
**stay in shape:** rester en forme


CORRIGÉS → p. 117

## Grammaire

**3 En t'aidant des propositions, dis ce que les habitants d'Hawaii ne font pas.**

a *play in the snow* ➜ They don't ..........................................

b *buy anoraks* ➜ ..........................................

c *go skiing* ➜ ..........................................

**4 Relie chaque question à sa réponse.**

| | |
|---|---|
| a Does she like her instructor? • | • I don't remember exactly, but it's cheap! |
| b How much does it cost? • | • At 10 AM every day. |
| c What time does the lesson start? • | • Oh yes, she does! |

**5 Utilise le présent simple pour raconter ce que fait ou non le moniteur chaque matin.**
**Aide-toi des expressions suivantes :**
***go to the zoo – play tennis – have breakfast.***

a *He gets up.*

b ..........................................
..........................................

c ..........................................
..........................................

d ..........................................
..........................................

# LE COURS

## Le présent simple

**Conjugaison**

*I / you / we / they run.*
*He / she runs.*
*Do you / they run?*
*Does he / she run?*
*I / you / we / they don't run.*
*He / she doesn't run.*

**Emploi**

On utilise le présent simple pour parler :

– de ses **sentiments**, de ses **gouts**, de **l'endroit où l'on vit** ;
*Do you like playing baseball?*
*Yes, I do.*
*She doesn't live in Honolulu.*

– de **ce que l'on fait habituellement**.
*Every weekend Dad goes fishing but Mum prefers shopping!*

## Les adverbes de fréquence

***Always*** (toujours), ***often*** (souvent), ***sometimes*** (quelquefois), ***never*** (jamais) sont des adverbes qui indiquent à quelle fréquence a lieu l'action. Ils se placent **devant le verbe**.
*It never rains here!*

**Attention !**

Avec ***be***, les adverbes de fréquence se placent exceptionnellement **derrière le verbe**.
*He is always patient.*

### Info plus

**Hawaii** fait partie des États-Unis. C'est l'État le plus au sud et le seul à être situé loin du continent américain, dans l'océan Pacifique.

Avec ses 122 iles, cet archipel est le paradis des surfeurs !

Seule une poignée d'entre eux osent affronter « Jaws » (« Mâchoire », en français) : cette vague géante déferle une fois par an à Peahi, au nord de l'une des iles. Elle peut atteindre 25 m de haut !

CORRIGÉS ➜ p. 117

# Habiter les littoraux

## LE COURS

### Des espaces peuplés

▶ Les littoraux concentrent de **fortes densités de population** : 1 personne sur 2 habite à moins de 100 km des côtes, 7 des 10 plus grandes métropoles sont en bord de mer. Mais les côtes subissant de fortes contraintes naturelles sont vides, comme dans les régions froides.

▶ Les littoraux **attirent de plus en plus**, c'est la **littoralisation**. Cela s'explique par l'histoire du peuplement, l'exploitation des ressources de la mer, l'essor des échanges maritimes et le développement de nombreuses activités.

### Des espaces aménagés

▶ **90 % des échanges de marchandises se font par voie maritime. Les ports de commerce s'agrandissent**, avec des quais plus grands, en eau plus profonde, parfois sur des terrepleins. Certains ports, **les zones industrialo-portuaires (ZIP)**, accueillent des usines. Les littoraux sont aussi des **espaces touristiques majeurs**, ce qui explique la **multiplication des stations balnéaires**.

▶ La littoralisation provoque de nombreux **conflits d'usage**, par exemple entre les touristes, les habitants et les marins. **L'environnement des littoraux est menacé** par les activités humaines et le réchauffement climatique. Pour ces raisons, 7 % des côtes sont protégées (réserves et parcs naturels).

#### VOCABULAIRE

**Littoralisation :** concentration de plus en plus importante des hommes et des activités sur les côtes.

**Station balnéaire :** ville du littoral aménagée pour le tourisme.

**1** **Complète le texte suivant en notant les numéros des expressions qui manquent. (cours)**

① conflits d'usage ; ② stations balnéaires ; ③ littoralisation ; ④ ZIP

Les littoraux attirent de plus en plus d'hommes et d'activités, c'est la ............................ . Les usines se développent dans les ............................ alors que les touristes vont dans les ............................ . Mais les littoraux connaissent des ............................ et des problèmes environnementaux.

**2** **À l'aide de la photo du doc. 2, complète la légende du croquis de paysage, en notant en face de chaque couleur le numéro et la description de la partie du paysage qui lui correspond. (doc. 1)**

**3** **Pourquoi peut-on dire que ce port est une ZIP ? (cours et doc. 2)**

..............................................................................................

..............................................................................................

..............................................................................................

**DOC 1**

- ■ ..........................
- ■ ..........................
- ■ ..........................
- ■ ..........................

**DOC 2** **Le port de Montréal (Canada, 2014)**

1 : fleuve Saint-Laurent ; 2 : quais (stockage des conteneurs, des céréales et du pétrole) ; 3 : zone industrielle ; 4 : centre de Montréal ; 5 : vieux port (anciens quais industriels devenus espaces de loisirs)

CORRIGÉS → p. 117

# La matière dans tous ses états

**1** **Quelles sont les trois composantes de notre environnement ?**

.......................................................................................................................

**2** **Place dans la bonne case au moins huit éléments présents sur la photographie. (doc. 1)**

| Composantes de l'environnement | Éléments présents dans l'environnement photographié |
|---|---|
| Êtres vivants | |
| Éléments minéraux | |
| Éléments fabriqués par l'Homme | |

**DOC 1**
**Une promenade dans la montagne**

**3** **Barre les déchets non recyclables. (doc. 2)**

**DOC 2**

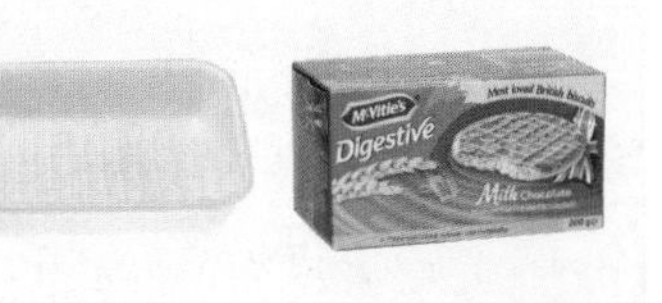


## LE COURS

### Les composantes de notre environnement

Notre environnement, c'est ce qui nous entoure. On y trouve :

• des **êtres vivants**, microorganismes, végétaux et animaux, capables de se nourrir pour produire de la matière organique. Les **végétaux verts** se nourrissent de matières minérales (eau, sels minéraux et dioxyde de carbone) et doivent recevoir de la lumière. Les **animaux** se nourrissent de matières minérales et de matières organiques provenant d'autres êtres vivants.

• des **éléments minéraux** (le non-vivant naturel) comme l'air, l'eau et les roches.

• des **éléments fabriqués par l'Homme**. Le plastique provient du pétrole, du maïs, de la canne à sucre ou de la pomme de terre ; le verre du sable, le papier du bois et l'acier ou l'aluminium des roches.

### Le recyclage de la matière

▶ La matière organique des êtres vivants morts est recyclée en matière minérale par les êtres vivants du sol.

▶ Pour préserver nos ressources naturelles, on peut aussi recycler la matière dont sont faits nos objets pour en faire de nouveaux. Ainsi, avec la matière de 6 bouteilles d'eau en plastique, on peut fabriquer un tee-shirt, avec celle de 114 aérosols une trottinette et avec celle de 700 canettes un cadre de vélo !
On peut aussi fabriquer 1 bouteille en verre avec 1 bouteille en verre : le verre est une matière qu'on peut recycler à 100 % et à l'infini !

CORRIGÉS → p. 117

# Bilan
## de la séquence 6

Ton score /20

## Français

**1 Conjugue au passé composé le verbe** *prendre*.

J'.................................

Nous ...............................

/1

**2 Complète l'accord du participe passé.**

a. Jean a offert..... de délicieux macarons à Sophie.

b. La jeune femme est allé..... immédiatement les mettre sur une assiette.

/2

**3 Entoure la bonne terminaison.**

Elle a toujours *aimé / aimée* les roses plus que toutes les autres fleurs. Ses sœurs n'ont jamais *compris / comprise* cette passion pour les roses. Ces fleurs sont *cueilli / cueillies* dans le jardin durant tout l'été.

/3

**4 Barre le mot qui ne relève pas du champ lexical du** voyage.

| | |
|---|---|
| croisière | frontière |
| bouteille | avion |
| escale | bagage |
| passeport | embarquement |

/1

## Maths

**5 Trace les axes de symétrie des lettres et figures ci-dessous, si elles en ont. Tu dois en trouver 8 au total.**

S H

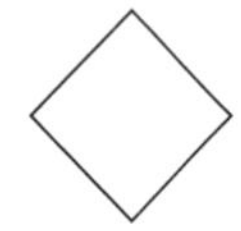

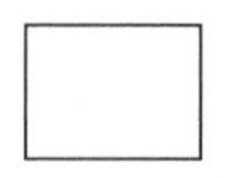

/4

## Anglais

**6 Voici le programme de ton camp de vacances :**

GET UP: 9 o'clock every day
BEACH VOLLEYBALL: every morning, except Sunday
CITY VISITS: Tuesday and Friday
GO TO SLEEP: 9 pm

**Pour le décrire, complète les phrases avec l'adverbe de fréquence qui convient :** *often – always – sometimes – never*.

I ............... get up at 9 o'clock.

We ............... play beach volley-ball.

We ..................... go to the city to visit a museum.

I ............... go to sleep before 9 pm.

/2

**7 Complète la lettre en mettant les verbes au présent à la forme qui convient.**

Hello, Mum and Dad!

Every day I (*get up*) ............... at 9 and (*have*) ............... breakfast with my friends.

We (*not go*) ............... to the beach in the morning, it's too cold!

My friends (*play*) ............... football, but I never do, I (*not like*) ............... running!

Every afternoon, the instructor (*come*) ............... to the camp. He (*be*) ............... so good at sailing and surfing!

/3

## Géographie

**8 La littoralisation, c'est :**

a. ☐ le développement des ZIP.

b. ☐ le développement des stations balnéaires.

c. ☐ le développement des parcs et réserves naturelles.

/2

## Sciences et technologie

**9 Quelle matière est recyclable à l'infini ?**

.......................................................................

.......................................................................

.......................................................................

/2

# SÉQUENCE 7

## Teste-toi avant de commencer

### Français

**1 Les adjectifs s'accordent en genre et en nombre avec le nom qu'ils qualifient.**

☐ Vrai ☐ Faux

/2

**2 Accorde l'adjectif *joli* comme il convient.**

Les contes sont remplis de .............................. princesses en détresse.

/2

**3 Coche la forme correcte de l'adjectif de couleur.**

Ces chapeaux ............ s'accordent avec les robes.

☐ bleu ciel
☐ bleus ciel

/2

### Maths

**4 Indique le dénominateur et le numérateur de la fraction $\frac{7}{11}$.**

Le dénominateur est ............

Le numérateur est ............

/2

**5 Colorie un tiers de l'hexagone, puis complète l'égalité.**

$\frac{1}{3}$ de 6 = ............

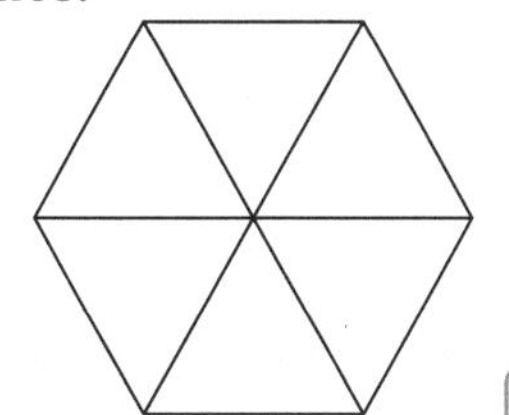

/2

### Anglais

**6 Choisis la forme du génitif qui convient.**

a. Is this Ken........... surfboard?

☐ ' ☐ 's

b. These are my cousins........... skates.

☐ ' ☐ 's

/4

**7 Coche le bon déterminant possessif.**

– Have you got Alison's glasses?

– No, I haven't, but I've got .......... scarf.

☐ my ☐ her ☐ his

/2

### Histoire

**8 Le dieu des Juifs s'appelle :**

☐ Jésus
☐ Mahomet
☐ Yahvé

/2

### Géographie

**9 Quel est le continent le plus peuplé ?**

☐ L'Europe
☐ L'Asie
☐ L'Amérique

/2

**Ton score** /20

# La fable inversée

Un bœuf voit une grenouille
Qui, bondissant des roseaux
Où la gent[1] craintive grouille,
Va s'ébattre sur les eaux.
5 Elle plonge, revient pour disparaître encore.
Le bœuf, qui la suit du regard,
S'émerveille qu'un nénuphar
Suffise à soutenir la chétive[2] pécore[3],
Que ne peut-il voguer sur de pareils radeaux
10 Et folâtrer[4] dans la rivière
À cette heure caniculaire
Où l'irritante mouche aiguillonne son dos ?
Envieux, il retient son souffle et se travaille
Pour égaler en petitesse l'animal.
15 « Est-ce assez, dites-moi ? Ai-je plus fine taille ?
Demande-t-il au cheval ;
– Nenni. – M'y voici donc ? » L'âne se met à braire
Et répond : « Point du tout ! – Y suis-je ? – Non, mon frère,
Réplique alors le veau. Vous n'y parviendrez point :
20 Sachez garder votre bedaine. »
Le bœuf, sans écouter ce sincère témoin,
Jure alors de jeûner[5] pendant une semaine.
Il tint parole et s'obstina
Tant à maigrir qu'il en creva.
25 Le monde est plein de gens qui,
Marchant sur ses traces,
Rêvent d'être légers malgré leur épaisseur.
Tout lourdaud veut être un danseur,
Tout pesant esprit fait des grâces.

Charles Clerc, « Le Bœuf qui veut se faire aussi petit que la Grenouille », *Fables à l'envers*, DR.

- Lire une fable
- Accorder les adjectifs

## VOCABULAIRE

1. **Gent :** race, espèce.
2. **Chétive :** maigre.
3. **Pécore :** sotte et prétentieuse.
4. **Folâtrer :** jouer.
5. **Jeuner :** ne pas manger.

### Accorder les adjectifs de couleur

Les adjectifs de couleur s'accordent en genre et en nombre sauf s'ils désignent une fleur ou un végétal (fruit, légume) ou encore s'ils sont composés de plusieurs mots.
*Ses bottes aubergine, ses yeux bleu clair, les accessoires jaune poussin.*

Il y a cependant quelques exceptions, comme « rose » ou « mauve », qui s'accordent en nombre.
*Des chaussons roses.*

## Compréhension

**1** **Entoure la phrase qui résume bien le propos de la fable.**

a La grenouille veut devenir aussi grosse que le bœuf.

b Le bœuf veut être aussi majestueux que le cheval.

c Le bœuf veut être aussi petit que la grenouille.

**2** **À quelle fable célèbre de La Fontaine ce texte fait-il écho ?**

.....................................................................................

**3** **Entoure les deux vers qui expriment la morale de la fable.**

 CORRIGÉS → p. 118

## Grammaire

**4** **Entoure les adjectifs des groupes nominaux soulignés dans le texte.**

**5** **Observe les mots en bleu dans le texte. Avec quel mot s'accorde :**

a envieux ? .................................. b légers ? ..................................

**6** **Dans les phrases suivantes, entoure l'adjectif et souligne le mot qu'il qualifie.**

a Les oiseaux rêvent d'être toujours plus légers pour voler au-dessus des nuages.

b Une légère brise soufflait sur la plage.

c La montgolfière légère montait majestueusement dans le ciel.

## Orthographe

**7** **Accorde les adjectifs en fonction du nom. Attention aux pièges !**

a La petit........... grenouille agile........... et rusé........... saute d'un nénufar à l'autre.

b Attentif..........., les animaux regardent la bête robuste........... retenir sa respiration et devenir de plus en plus fin........... et svelte............

**8** **Réécris la phrase suivante en remplaçant à chaque fois « animal » par « animaux ». Attention aux autres changements à opérer !**

L'animal est la principale source d'inspiration des auteurs de fables : le petit animal représente le faible, l'animal puissant est le dominant.

Les animaux ..........................................................................................

..........................................................................................

..........................................................................................

..........................................................................................

**9** **Relie les adjectifs aux noms avec lesquels ils s'accordent.**

| | |
|---|---|
| Les sauterelles • | • grasse |
| La grenouille • | • crasseux |
| Le crapaud • | • agiles |

## LE COURS

### La fable

La fable est un **genre littéraire** qui a pour fonction de véhiculer **une morale**. Son auteur s'appelle **le fabuliste**.

### Les adjectifs

▶ Les adjectifs **donnent des informations** sur les noms ou les pronoms qu'ils qualifient : taille, aspect, qualités morales...

*Mon frère est plus grand que moi.*
*Je te trouve bien courageuse !*

▶ **Accord de l'adjectif**

Il **s'accorde avec le nom ou pronom** auquel il se rapporte en **genre** et en **nombre**.

*un âne têtu ; une eau bleue et claire.*

▶ **Place des adjectifs**

L'adjectif apporte des informations sur un élément de la phrase dont il peut être plus ou moins proche.

- Dans le même groupe nominal : *La **grande** valise contient les vêtements.*
- Séparé du nom par un verbe d'état : *La valise parait assez **petite** pour entrer dans le coffre.*
- Séparé du nom par une virgule : ***Remplie**, la valise semble prête à exploser.*

CORRIGÉS → p. 118

# Les fêtes de la mer

## 1 Piquenique géant sur la plage

Chaque année, le 14 aout, un piquenique géant est organisé sur la grande plage d'Arcachon à l'occasion des fêtes de la mer. Après la traditionnelle dégustation d'huitres, les gourmands partagent des pizzas, des tartes et des gâteaux de toutes formes.

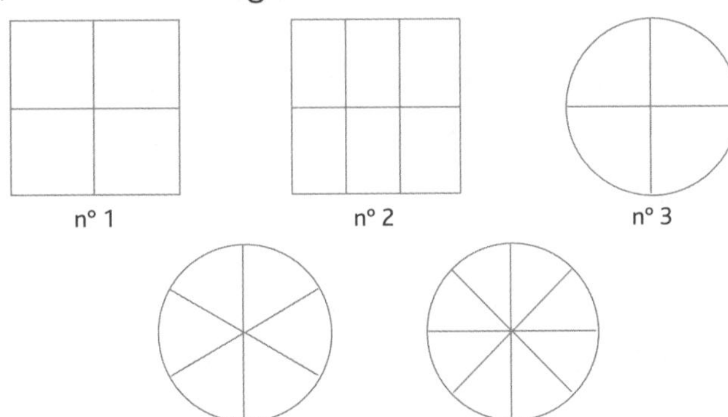


**a Quelle fraction du gâteau entier représente une part de chacun de ces gâteaux ?**
**Observe les partages effectués, puis coche les bonnes réponses.**

| 1 part représente ... | $\frac{1}{2}$ | $\frac{1}{3}$ | $\frac{1}{4}$ | $\frac{1}{6}$ | $\frac{1}{8}$ | $\frac{1}{9}$ | ... du gâteau entier |
|---|---|---|---|---|---|---|---|
| **Gâteau n° 1** | | | X | | | | |
| **Gâteau n° 2** | | | | | | | |
| **Gâteau n° 3** | | | | | | | |
| **Gâteau n° 4** | | | | | | | |
| **Gâteau n° 5** | | | | | | | |

**b** Xavier a pris deux parts du gâteau n° 3, Yaël a pris trois parts du gâteau n° 4 et Zoé quatre parts du gâteau n° 5.

**Colorie dans les schémas ci-dessus la part prise par chacun et complète les fractions obtenues.**

- Xavier a pris deux quarts du gâteau n° 3 : $\frac{2}{4} = \frac{2 \times \ldots\ldots}{2 \times \ldots\ldots}$.
- Yaël a pris trois sixièmes du gâteau n° 4 : $\frac{3}{6} = \frac{3 \times \ldots\ldots}{3 \times \ldots\ldots}$.
- Zoé a pris quatre huitièmes du gâteau n° 5 : $\frac{4}{8} = \frac{4 \times \ldots\ldots}{4 \times \ldots\ldots}$.

**c Observe les schémas n° 3, 4 et 5, puis conclus en complétant la phrase à l'aide de l'une de ces étiquettes.**

le tiers | la moitié | le quart

Xavier, Yaël et Zoé ont mangé chacun ............ de leur gâteau.

• Les fractions

**• Lire une fraction**

▶ La fraction indique le rapport (c'est-à-dire la proportion) entre la partie colorée et la figure totale.

▶ Exemple : sur une horloge, 1 heure représente 60 minutes, donc un quart d'heure

$= 60 \times \frac{1}{4}$

$= \frac{60}{4}$

= 15 min.

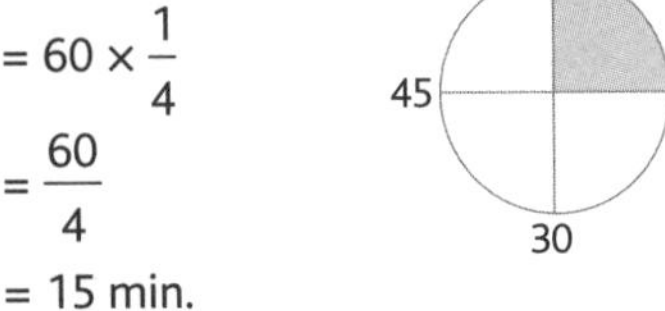



CORRIGÉS → p. 118

## 2 À toi de partager la tarte !

Voici une tarte entière : tu dois la partager en huit parts égales. La tarte entière pèse 600 g. Un grand gourmand en mange les trois huitièmes.

**a Partage cet octogone en huit triangles superposables.**

Le centre de l'octogone est un sommet commun aux huit triangles.

**b Complète les bulles du calcul suivant, puis conclus.**

Tu peux utiliser la calculatrice.

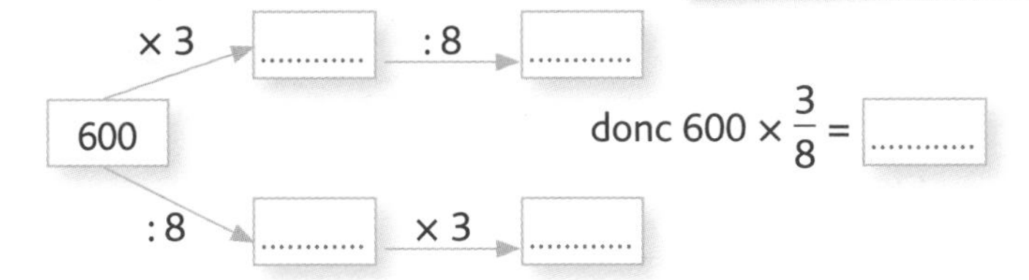


Conclusion : ce gourmand a mangé .......... g de tarte.

## 3 Un feu d'artifice féérique

Un feu d'artifice grandiose clôture les fêtes de la mer. 243 fusées sont tirées au-dessus de l'eau : un tiers d'entre elles sont jaunes, un neuvième sont rouges, les autres sont bleues et vertes.
**Calcule le nombre de fusées de chaque couleur.**

**a Le nombre de fusées jaunes se calcule par :**

..........................................................................................................

**b Le nombre de fusées rouges se calcule par :**

..........................................................................................................

### DÉFI VACANCES

**Le dénominateur magique**

Tu sais certainement écrire un nombre décimal sous la forme d'une fraction. Mais sauras-tu écrire sous la forme de fraction des nombres non décimaux ?

**a Calcule à la calculatrice.**

$\frac{1}{9} =$ .......... ; $\frac{2}{9} =$ ..........

**b Complète les égalités suivantes en vérifiant à la calculatrice.**

$0{,}333... = \frac{......}{......}$ ; $0{,}444... = \frac{......}{......}$ ;

$0{,}555... = \frac{......}{......}$ ; $1{,}111... = \frac{......}{......}$.

## LE COURS

### Définitions

$a$ et $b$ étant deux entiers (avec $b \neq 0$), la **fraction** $\frac{a}{b}$ est le **quotient exact** de $a$ par $b$.

$a$ ← **numérateur**,
$b$ ← **dénominateur**.

*$\frac{3}{4} = 0{,}75$*

### Propriété

La fraction $\frac{a}{b}$ (avec $b \neq 0$) est le nombre qui, multiplié par $b$, donne $a$ ; on retient donc que $\frac{a}{b} \times b = a$.

*$\frac{3}{4} \times 4 = 3$ ce qui est confirmé par le calcul $0{,}75 \times 4 = 3$.*

Attention : $\frac{5}{3} = 1{,}666...$ donc on évitera de poser l'opération $1{,}666... \times 3$ et on écrira directement $\frac{5}{3} \times 3 = 5$.

### Opérations sur les fractions

▶ Pour **additionner des fractions de même dénominateur**, on ajoute les numérateurs et on conserve le dénominateur **commun**.

*$\frac{3}{10} + \frac{4}{10} = \frac{7}{10}$ ;*
*c'est-à-dire : $0{,}3 + 0{,}4 = 0{,}7$.*
*$\frac{1}{6} + \frac{5}{6} = \frac{6}{6} = 1$ ;*
*Sur la figure, tu constates que...*
*1 sixième + 5 sixièmes = 6 sixièmes.*

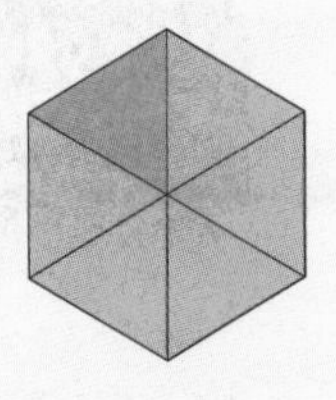

▶ Calculer **la moitié**, **le tiers** ou **le quart** d'un nombre, c'est multiplier ce nombre par $\frac{1}{2}$, par $\frac{1}{3}$ ou par $\frac{1}{4}$.

*La moitié de 40 → $40 \times \frac{1}{2} = \frac{40}{2} = 20$.*

*Le tiers de 81 → $81 \times \frac{1}{3} = \frac{81}{3} = 27$.*

CORRIGÉS → p. 118

# The Simpsons

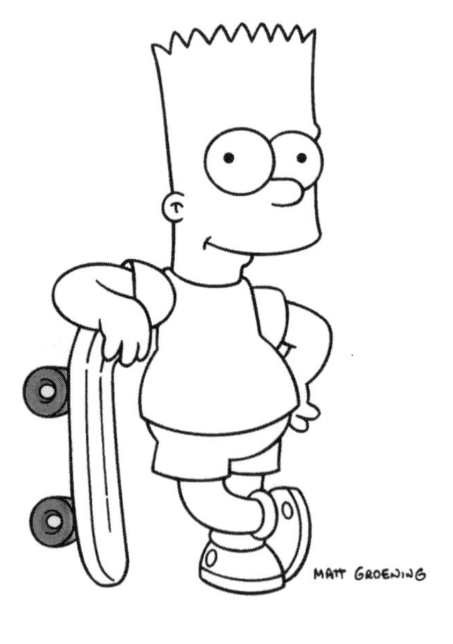

Homer is a devoted husband but he forgets birthdays, anniversaries and holidays.

Bart is just a good kid with a few bad ideas and a couple of really bad ideas. He enjoys skateboarding and bubble gum.

Lisa has Marge's common sense and sympathy for others. But she has Homer's name.

- Le génitif
- Les déterminants possessifs

**VOCABULAIRE**

**devoted:** dévoué
**husband:** mari
**forget:** oublier
**a few:** quelques
**a couple:** deux ou trois
**common sense:** bon sens
**for others:** pour les autres

## Compréhension

**1 Colorie ces personnages des Simpsons selon les indications suivantes.**

a Homer's shirt is white and his trousers are blue.

b Bart's T-shirt is red and his shorts are blue. His shoes are blue too.

c Lisa's dress is red and her necklace is white. Her shoes are red.

d Their skin is yellow and their eyes are white.

 CORRIGÉS → p. 119

## Grammaire

**2 Observe les images et réponds aux questions.**

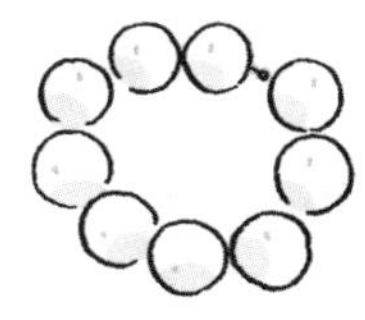

**a** Whose necklace is it?

........................................................................................

**b** Whose T-shirt is it?

........................................................................................

**c** Whose shoes are they?

........................................................................................

**3 Maintenant, à toi de poser des questions pour savoir à qui appartiennent ces vêtements.**

*Exemple: shirt ➜ Whose shirt is it?*

**a** socks ➜ ........................................................................................

**b** skirt ➜ ........................................................................................

**c** trousers ➜ ........................................................................................

**4 De qui parle-t-on ? Coche la bonne réponse en face de chaque phrase.**

| | Lisa | Bart | Lisa et Bart |
|---|---|---|---|
| **a.** her hair | | | |
| **b.** his ideas | | | |
| **c.** his smile | | | |
| **d.** their father | | | |

**5 Choisis entre « 's » et simplement « ' ».**

**a** Are the kids ................................ boots dirty?

**b** It's James ................................ hat.

## LE COURS

### Le génitif

▶ Pour dire à qui appartient quelque chose, on écrit ***'s*** après le possesseur. C'est la marque du génitif.

▶ Pour demander à qui appartient quelque chose, on utilise ***whose* + nom**.

– *Whose cap is it?*
– *It's Kevin's cap.*
– *Whose glasses are they?*
– *They're Alice's.*

▶ Lorsque le possesseur est **un pluriel qui se termine déjà par un "s"**, la marque du génitif est seulement **l'apostrophe**.

*Are you the twins' father?*

### Les déterminants possessifs

▶ Les déterminants possessifs varient en fonction du possesseur et non de ce qui est possédé.

*I → **my*** | *you → **your***
*he → **his*** | *she → **her***
*it → **its*** | *we → **our***
*you → **your*** | *they → **their***

On utilise ***his*** (son, sa, ses) lorsque le possesseur est masculin.

*His name is Mark, his sister, his parents...*

On emploie ***her*** (son, sa, ses) lorsque le possesseur est féminin.

*Her name is Jane, her brother, her parents...*

On utilise ***their*** (leur, leurs) lorsqu'il y a plusieurs possesseurs.

*Their names are Mr and Mrs White, their house, their children...*

### Info plus

▶ ***The Simpsons***

Cette série américaine a été créée en 1989 par Matt Groening. Il s'est inspiré de sa propre famille (il a en particulier gardé les prénoms) pour créer cette caricature d'une famille américaine.

Les personnages ne vieillissent pas : Bart a toujours 10 ans, Lisa 8 ans et Maggie 1 an. Ils habitent à Springfield et ont une particularité : ils n'ont que 4 doigts !

CORRIGÉS ➜ p. 119

# La naissance du monothéisme juif (Iᵉʳ millénaire avant J.-C.)

## LE COURS

### L'histoire des Hébreux

▶ **Au VIIIᵉ siècle avant J.-C.**, au Proche-Orient, **les Hébreux vivent dans les royaumes d'Israël et de Juda**. Après la disparition du royaume d'Israël, **le roi de Juda, Josias (–639 à –609)**, impose le **monothéisme**. Le **Temple de Jérusalem** est le seul lieu de culte : c'est là qu'ont lieu les sacrifices.

▶ Mais **au VIᵉ siècle avant J.-C., le royaume de Juda disparait à son tour**. On ne parle plus d'Hébreux, mais de **Juifs**. Après la destruction du Temple par les Romains en 70, **les Juifs se dispersent dans la Méditerranée** : c'est la **diaspora**. Les Juifs se réunissent alors dans des synagogues pour lire **la Bible** sous la direction d'un rabbin.

### Le judaïsme, un monothéisme

▶ Pour ne pas oublier leur tradition, les Hébreux (puis les Juifs) rédigent la **Bible hébraïque entre le VIIIᵉ et le IIᵉ siècle avant J.-C.** Ce texte crée une identité commune entre eux.

▶ La Bible raconte **l'histoire des Hébreux et leurs croyances** : le peuple hébreu serait **élu et conduit par leur dieu (Yahvé)** car il aurait fait **alliance avec lui.** Elle fixe aussi les règles qui doivent être suivies comme les dix commandements, la circoncision ou les interdits alimentaires.

### VOCABULAIRE

**Bible hébraïque (mot grec qui signifie « les livres ») :** livre sacré des Juifs.

**Monothéisme :** croyance en un seul dieu.

**Juifs :** nom donné aux descendants des Hébreux après la disparition du dernier royaume hébreu au VIᵉ siècle avant J.-C.

**1** **Reporte dans le tableau les numéros des différents mots selon la période historique à laquelle ils correspondent.**

1 = Temple ; 2 = synagogue ; 3 = rabbin ; 4 = royaume de Juda ; 5 = lecture de la Bible ; 6 = Juifs ; 7 = Hébreux ; 8 = diaspora

| Avant le VIᵉ siècle avant J.-C. | Après 70 |
|---|---|
| | |

**2** **Lis le texte (doc. 2), puis place sur l'image (doc. 1) les numéros correspondant aux scènes.**

**3** **Que montre cette histoire sur les relations entre les Hébreux et Dieu ? (cours et doc.)**

..............................................................................................................

**DOC 1** Le sacrifice d'Abraham sur une mosaïque

Synagogue de Bet Alfa, fin Vᵉ siècle avant J.-C.

**DOC 2** Le sacrifice d'Abraham d'après la Bible

(1) Abraham construisit un autel. Il y plaça du bois puis il attacha son fils Isaac et le mit sur l'autel par-dessus le bois. (2) Puis il prit un couteau pour sacrifier son fils. (3) Mais l'envoyé de Dieu l'appela du ciel et lui dit : « Abraham ! Abraham ! Ne fais aucun mal à cet enfant ! Je sais maintenant que tu crains Dieu car tu ne m'as pas refusé ton fils unique. » (4) Abraham vit alors un bélier, retenu par des cordages dans des branchages : il l'offrit en sacrifice à la place de son fils.

*Genèse*, 22, 1-18

 CORRIGÉS → p. 119

# La répartition de la population mondiale et ses dynamiques

**1 Entoure les espaces qui vont connaitre une forte augmentation de leur population (cours).**

Littoral Ville Europe Montagne Afrique Campagne

**2 Relie chaque pays au foyer de peuplement qui lui correspond. (doc.)**

| | |
|---|---|
| France • | • Asie du Sud |
| États-Unis • | • Asie du Sud-Est |
| Inde • | • Sud-Est du Brésil |
| Chine • | • Nord-Est américain |
| Brésil • | • Europe |
| Nigeria • | • Golfe de Guinée |

**3 Pourquoi peut-on dire que la population est inégalement répartie sur terre ? (cours et doc.)**

.............................................................................................................

.............................................................................................................

.............................................................................................................

**DOC La répartition de la population dans le monde**

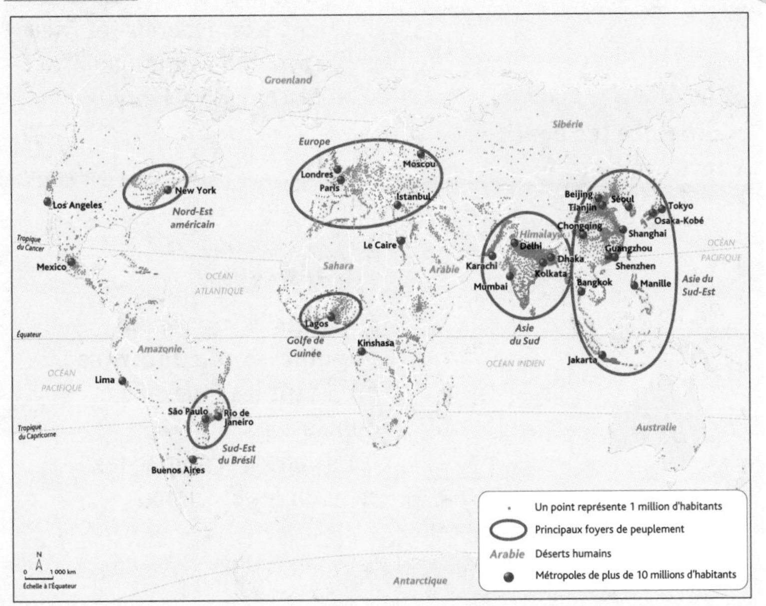


## LE COURS

### Une population inégalement répartie

▶ **Plus de la moitié des hommes** habite dans les trois grands **foyers de peuplement**. C'est l'histoire et les activités humaines qui expliquent ces fortes densités : riziculture pour l'**Asie de l'Est** et l'**Asie du Sud**, commerce et industrie pour l'**Europe**. Les hommes habitent surtout sur **les littoraux** et dans **les vallées des grands cours d'eau**.

▶ De **vastes espaces** sont des **déserts humains**. **Les contraintes naturelles y sont fortes**. Elles sont dues au climat, au relief ou à l'isolement.

### Une population dynamique

▶ **La population mondiale est de 7,5 milliards d'habitants et devrait atteindre 9,8 milliards de personnes en 2050**. Cette **croissance démographique** est plus forte dans les pays en développement et en particulier dans les pays d'Afrique.

▶ La population se concentre de plus en plus sur les littoraux (**littoralisation**) et dans les villes (**urbanisation**). Mais le peuplement s'étend aussi dans les **espaces moins peuplés** : ce sont les **fronts pionniers** dans les grandes forêts tropicales ou dans certaines régions froides ou désertiques.

## VOCABULAIRE

**Foyer de peuplement :** région du monde concentrant un grand nombre d'habitants et de fortes densités de population depuis plusieurs siècles.

**Désert humain :** région de très faible densité.

**Front pionnier :** espace auparavant inoccupé que l'homme exploite et met en valeur.

CORRIGÉS → p. 119

# Bilan
## de la séquence 7

**Ton score** /20

### Français

**1 Complète les phrases avec *méchante*, *valeureux*, *magiques*.**

a. Elles attendent toujours de ............................. chevaliers pour les délivrer.

b. Tout cela est souvent la faute d'une ............................. sorcière.

c. La sorcière se défend avec ses pouvoirs ............................. .

/1

**2 Coche l'adjectif correctement accordé.**

a. Le cheval .......... a semé les poursuivants.

☐ intrépide
☐ intrépides

b. .........., les fées cherchent la formule magique.

☐ Pressé
☐ Pressée
☐ Pressées

/2

**3 Accorde l'adjectif de couleur comme il convient.**

La reine porte une cascade de voiles (*rose*) ................. .

/1

### Maths

**4 Indique quelle fraction correspond à la partie colorée de chaque figure.**

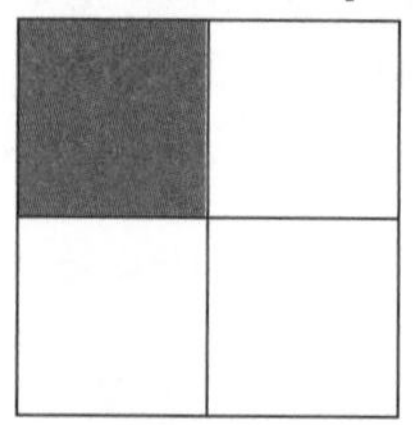

n° 1

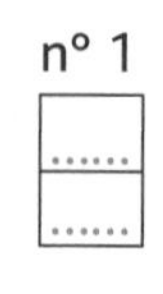

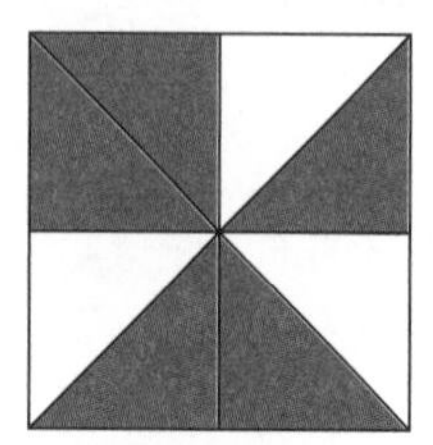

n° 2 $\frac{\dots\dots}{\dots\dots}$

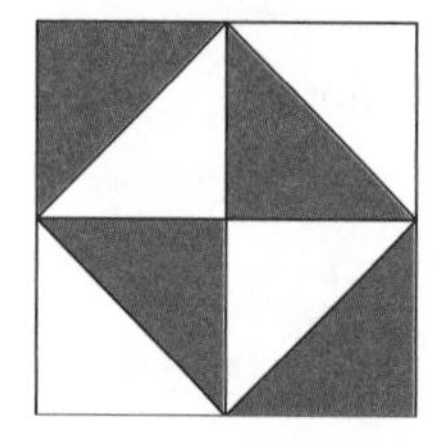

n° 3 $\frac{\dots\dots}{\dots\dots}$

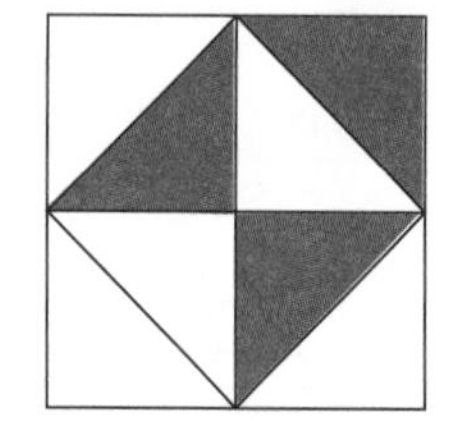

n° 4 $\frac{\dots\dots}{\dots\dots}$

/4

**5 Complète les égalités suivantes.**

a. $\frac{2}{3} + \frac{1}{3} = \frac{\dots\dots}{\dots\dots}$

b. $\frac{4}{5} \times \dots\dots = 4$

c. $14 \times \frac{1}{2} = \dots\dots$

d. $\frac{25}{36} \times 36 = \dots\dots$

/4

### Anglais

**6 Choisis la forme du génitif qui convient.**

Are these the children........ skates?

☐ '
☐ 's

/1

**7 Complète par le déterminant possessif qui convient.**

a. – Is this Katie's T-shirt?
– Yes, it is and this is ............ necklace too.

b. – Whose bag is this?
– It isn't ............ bag, I haven't got one!

c. – Is this your parents' tent?
– I don't know! I never remember the colour of ............ tent!

/3

### Histoire

**8 La Bible hébraïque :**

a. ☐ a été écrite à partir du VIII^e siècle avant J.-C.

b. ☐ doit montrer l'alliance entre les Hébreux et Dieu.

c. ☐ raconte la véritable histoire des Hébreux.

/2

### Géographie

**9 Dans le monde, la population se concentre :**

a. ☐ dans les foyers de population.

b. ☐ dans les campagnes.

c. ☐ sur les littoraux.

/2

# Teste-toi avant de commencer

## Français

**1 Quelle est la forme correcte du verbe *pouvoir* au futur à la 3e personne du singulier ?**

☐ pourront ☐ pourra ☐ pourrait

/1

**2 Conjugue le verbe *aller* au futur.**

j' ........................ nous ........................

/1

**3 Souligne les compléments circonstanciels.**

En fin de matinée, deux vétérinaires discutent dans leur bureau.

/2

## Maths

**4 Coche les huit réponses correctes.**

| | les côtés opposés sont parallèles | les côtés consécutifs sont perpendiculaires | les côtés consécutifs ont la même longueur |
|---|---|---|---|
| Dans un parallélogramme... | | | |
| Dans un rectangle... | | | |
| Dans un losange... | | | |
| Dans un carré... | | | |

/8

## Anglais

**5 Coche la bonne forme du présent en *be + ing*.**

Two boys ......... badminton.

☐ are playing ☐ play ☐ are play

/2

**6 Quelle est la phrase avec le présent en *be + ing* qui a valeur de futur ?**

a. Look! Tom is eating a big cake.

b. Don't forget we are making a cake for Mum tomorrow. It's her birthday!

/2

## Histoire

**7 Lesquels de ces lieux sont romains ?**

☐ Thermes
☐ Mosquée
☐ Forum

/2

## Sciences et technologie

**8 Comment appelle-t-on les végétaux qui ne vivent qu'une année ?**

☐ Les végétaux vivaces
☐ Les végétaux annuels
☐ Les végétaux constants

/2

**Ton score** /20

# Le marchand de visages

– Bonjour, monsieur.

– Bonjour, mademoiselle, que désirez-vous ?

– Je voudrais m'acheter un visage, avec tous les accessoires indispensables.

– Pour quand vous le faudra-t-il ?

– Je voudrais l'avoir demain.

– C'est un peu court, je vais faire de mon mieux. Voulez-vous un nez ?

– Qu'en ferai-je ? À quoi me servira-t-il ?

– Il vous servira à vous moucher.

– Je ne pourrai donc pas me moucher sans nez ? Alors vous m'en préparerez deux, un nez en trompette, un autre en colimaçon avec escalier.

– Je vais vous préparer aussi des yeux.

– Combien ? Croyez-vous que je vais vraiment en avoir besoin ? À quoi me serviront-ils ? Sont-ils si chers ?

– Rien n'est plus cher. Il vous en faudra au moins deux. Ils vous seront nécessaires pour les cligner, c'est-à-dire vous en fermerez un, pendant que vous sourirez de l'autre.

– Saurai-je le faire ? Et ne vais-je pas me tromper ? Ne confondrai-je pas un œil avec l'autre et vice-versa ? Je me contenterai d'un seul œil, ainsi je ne vais pas le confondre avec l'autre.

– Si vous en perdez un, il ne vous en restera plus. Je vous en préparerai deux, tout de même, pour demain. Je les mettrai de chaque côté du nez, ou, plutôt ce sont vos deux nez qui encadreront vos yeux.

Eugène IONESCO, « Le futur », dans *Théâtre V*, © Gallimard.

- **Identifier les compléments circonstanciels**
- **Conjuguer au futur**

**Distinguer futur de l'indicatif et présent du conditionnel**

Le **présent du conditionnel** prend un **-s** à la **1re personne du singulier**.

*Ne t'inquiète pas, je viendrai demain te chercher.* (futur)

*Je viendrais bien te chercher mais j'ai cours jusqu'à midi.* (conditionnel)

## Compréhension

**1 Où se déroule cette scène ?**

☐ Dans un musée. ☐ Dans un magasin. ☐ Dans un parc.

**2 Qui vient acheter un nouveau visage ?**

☐ Un homme. ☐ Une femme.

**3 Quel est le ton de ce texte ?**

☐ Réaliste. ☐ Tragique. ☐ Absurde.


CORRIGÉS → p. 120

## Grammaire

**4** **a** **Souligne dans la phrase suivante les compléments circonstanciels.**

Demain, elle fera ses achats à la boutique en raison des promotions.

**b** Place chaque complément dans la bonne ligne du tableau.

| Fonction | Complément circonstanciel |
|---|---|
| Cause | |
| Temps | |
| Lieu | |

**5** **Coche les phrases qui contiennent un complément circonstanciel.**

- ❑ Ce nez est original.
- ❑ Il travaille par obligation.
- ❑ Il s'agite sur place.
- ❑ Il propose différentes bouches.
- ❑ Les oreilles seront prêtes dans une heure.

## Conjugaison

**6** **Complète les phrases suivantes avec le verbe *être* ou le verbe *loger* conjugués au futur.**

À quel poste ........................-vous une fois devenus adultes ? Moi, dans cinq ans, je ........................ pompier et ma sœur ........................ médecin. Nous ........................ très heureux d'exercer ces métiers. Nous ........................ à Marseille. Je ........................ dans un petit appartement avec un balcon et elle ........................ dans une petite maison avec jardin. Et vous, où ........................-vous ?

**7** **Barre les verbes qui ne sont pas au futur.**

irons – voudrais – ferai – voulez – désirait – pourrai – perdez – vais – préparerez

**8** **Réécris la phrase suivante en conjuguant les verbes au futur.**

Je me lève, je me douche et je déjeune ; puis je m'habille, je sors et j'attends le bus.

.................................................................................................................

.................................................................................................................

## LE COURS

### Les compléments circonstanciels

▶ Pour savoir si un complément est complément circonstanciel, on essaie **de le déplacer ou de le supprimer**. Si la phrase reste correcte, il s'agit d'un complément circonstanciel.

*Dans sa boutique, en réponse à la forte demande, il peut remplacer un visage en 24 heures.*

« un visage » est le seul complément qui ne peut pas être supprimé.

▶ Les compléments circonstanciels expriment des **circonstances variées** :

– le **lieu** : *dans sa boutique*

– la **cause** : *en réponse à la forte demande*

– le **temps** : *en 24 heures*

### Formation du futur

▶ Le futur d'un verbe est généralement composé de son **infinitif** auquel on ajoute les **terminaisons** : *manger-**ai**, manger-**as**, manger-**a**, manger-**ons**, manger-**ez**, manger-**ont**.*

▶ Certains verbes ont malgré tout un futur irrégulier : le **radical change**.

*être → je serai*
*avoir → j'aurai*
*aller → j'irai*
*faire → je ferai*
*dire → je dirai*
*prendre → je prendrai*
*pouvoir → je pourrai*
*voir → je verrai*
*venir → je viendrai*
*vouloir → je voudrai*

CORRIGÉS → p. 120

# Voiles et cerfs-volants

- Triangles
- Quadrilatères

## 1 Concours de cerfs-volants

Sur la plage de Dieppe, comme chaque année, se déroule un championnat de cerfs-volants. Certains de ces « objets volants » sont schématisés ci-dessous.

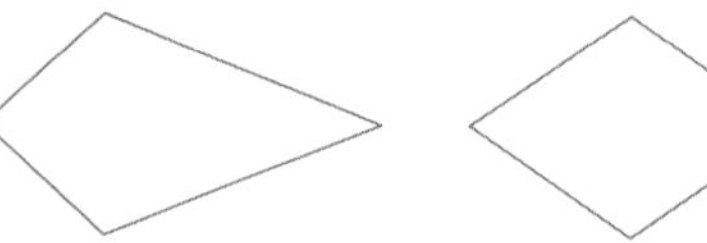

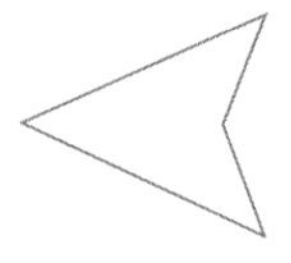
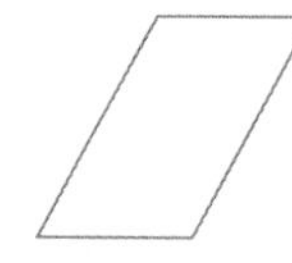

❑ Figure 1 ❑ Figure 2 ❑ Figure 3 ❑ Figure 4

**a Code les figures en marquant les côtés de même longueur et les angles de même mesure.**

**b Trace les axes de symétrie lorsqu'il y en a.**

Un losange est un quadrilatère particulier.

**c Coche la figure qui est un losange.**

**d Complète la phrase suivante en choisissant parmi les étiquettes.**

carré | losange | rectangle | parallélogramme

La figure 4 est un ........................................

## 2 Construis ton cerf-volant !

**a Complète le calcul exact de l'aire de VOIL (figure 5).**

Tu ne connais pas la mesure exacte du côté VO, mais VOIL est composé de 4 triangles rectangles et isocèles.

Aire du triangle VKO = (VK × ............) : ............

= (3 × ............) : ............

= ............ $cm^2$.

Aire du quadrilatère VOIL = ............ × ............ = ............ $cm^2$.

**Coup de pouce**

### Calculer des aires

**▶ Aires**

• L'aire d'une figure plane fermée est la **mesure de sa surface intérieure.**

• L'aire s'exprime en **$m^2$**, **$dm^2$**, **$cm^2$**...

1 $m^2$ = 100 $dm^2$ ;

1 $dm^2$ = 100 $cm^2$...

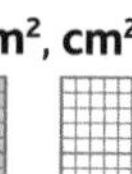

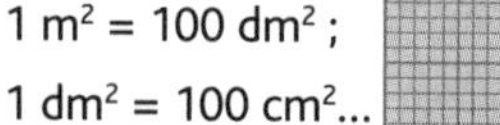

1 $cm^2$ 1 $mm^2$

**▶ Quelques formules de calcul d'aires**

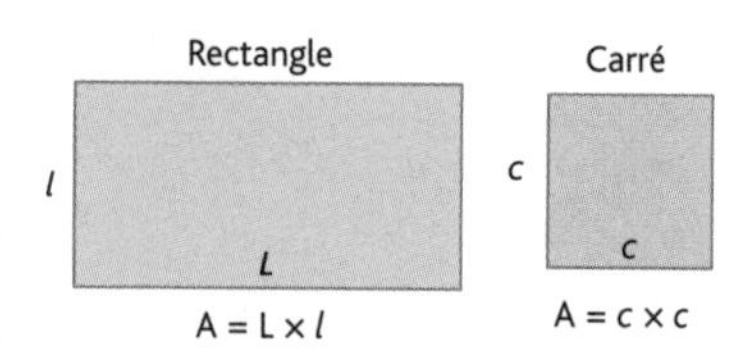


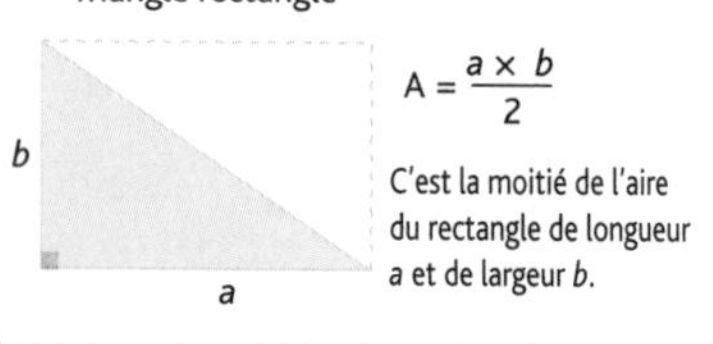


$A = \frac{a \times b}{2}$

C'est la moitié de l'aire du rectangle de longueur a et de largeur *b*.

 CORRIGÉS → p. 120

**b Exécute le programme de construction ci-dessous, à la règle et au compas.**

- Trace le cercle de centre L et de rayon égal à OI.
- Trace le cercle de centre I et de rayon égal à OL.

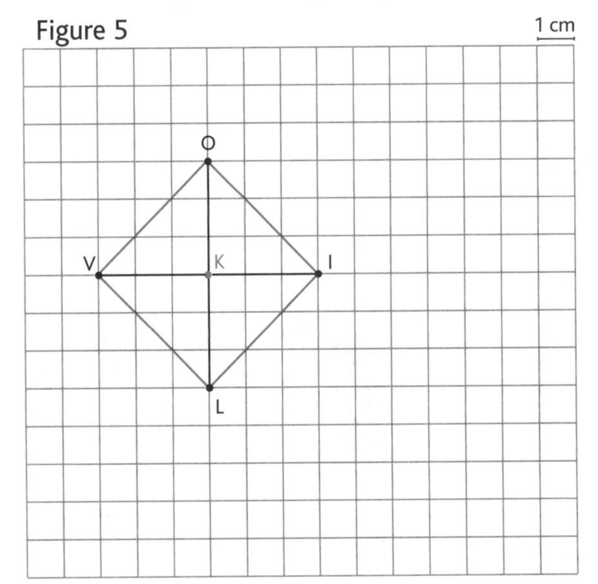


- Ces deux cercles se coupent en V et en un autre point que tu appelles N.
- Trace le quadrilatère LOIN.

**c Observe le quadrilatère LOIN et complète le raisonnement.**

LN = ………… ; IN = …………

Donc LOIN est un ……………………………………

Remarque : (OL) // (…………) et (OI) // (…………).

**d Construis, avec la méthode de ton choix, le point E pour que VOLE soit un parallélogramme.**

Ton cerf-volant est prêt !

## DÉFI VACANCES

**Jeux d'allumettes**
Avec trois allumettes, on peut construire un triangle.
On peut construire deux triangles avec seulement cinq allumettes.

**a De même, construis trois triangles avec sept allumettes et cinq triangles avec neuf allumettes.**

**b Sauras-tu construire quatre triangles avec seulement six allumettes ?**

## LE COURS

### Triangles

Un triangle est …

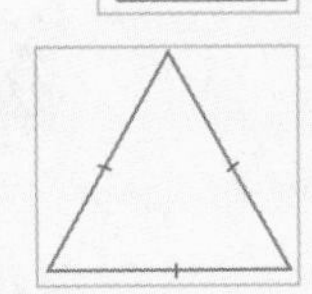

– **isocèle** s'il a deux côtés de même longueur ;
– **rectangle** s'il a un angle droit (donc deux côtés perpendiculaires) ;
– **équilatéral** si ses trois côtés sont de même longueur ;
– **quelconque** s'il n'est ni isocèle, ni rectangle, ni équilatéral.

### Quadrilatères

▶ **Un quadrilatère** est une figure plane à quatre côtés.
▶ **Une diagonale** est un segment joignant deux sommets opposés.

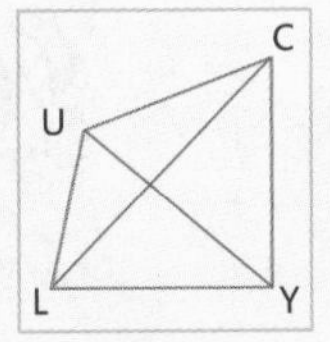


*LUCY a pour diagonales [LC] et [YU].*

### Quadrilatères particuliers

Si un quadrilatère a…
– quatre angles droits, c'est un **rectangle** ;
– quatre côtés de même longueur, c'est un **losange** ;
– quatre angles droits et quatre côtés de même longueur, c'est un **carré** ;
– ses côtés opposés parallèles, c'est un **parallélogramme**.

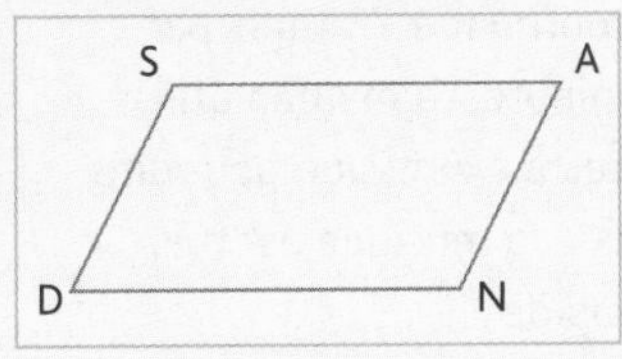


*SAND est un parallélogramme car (SA) // (DN) et (DS) // (NA).*

CORRIGÉS → p. 120

# Calvin's Dance

• Le présent en *be* + *-ing*

## Compréhension

**1** ***Right* or *wrong*? Entoure la bonne réponse d'après les images ci-dessus.**

a Calvin and Hobbes are having fun. right wrong

b Calvin's parents are dancing too. right wrong

c The scene takes place in the morning. right wrong

**2** **Relie chaque phrase au nom du (ou des) personnage(s) correspondant(s).**

| | |
|---|---|
| a He/she is wearing sunglasses. • | • Hobbes |
| b He/she is angry. • | • Calvin |
| c He/she is dancing. • | • Calvin's mother |
| d He/she is sitting up in bed. • | • Calvin's father |

### VOCABULAIRE

**either... or...:** soit... soit...

**78 RPM:** anciens disques tournant à 78 tours par minute. La maman utilise cette expression pour dire que la musique est très rapide.

**still:** encore

**first thing tomorrow morning:** dès que je me lève demain matin

**orphanage:** orphelinat

 CORRIGÉS → p. 121

## Grammaire

**3** **Observe ces dessins et réponds aux questions en mettant les verbes au présent en *be* + *-ing*.**

a. 
b. 
c. 

**a** Is Karen getting dressed?

No, she .................................. (*brush*) her hair.

**b** Is Paul watching television?

No, he .................................. (*shave*).

**c** Are the children drinking tea?

No, they .................................. (*go*) to school.

**4** **Kevin ne veut pas aller chez le dentiste cet après-midi : il cherche des excuses.**
**Complète les phrases et conjugue le verbe au temps qui convient, comme dans l'exemple.**

Mum, I can't go to the dentist's this afternoon because...

*Exemple :* help Dad in the garden ➜ *I'm helping Dad in the garden.*

**a** give the dog a bath

➜ ..................................................................................................

**b** clean the bird's cage

➜ ..................................................................................................

**c** tidy my bedroom

➜ ..................................................................................................

**5** **Quelle est la forme verbale qui convient ? Coche la bonne proposition.**

**a** For breakfast he always .................................. cereal and milk.

❑ have ❑ is having ❑ has ❑ having

**b** Listen! She .................................. in the bathroom.

❑ sing ❑ sings ❑ singing ❑ is singing

**c** I can't come tomorrow. I .................................. the housework.

❑ do ❑ is doing ❑ am doing ❑ doing

## LE COURS

### ● Le présent en *be* + *-ing*

▶ On l'utilise pour parler d'une action qui a lieu **au moment où l'on parle.**

*Look! They are playing video games again!*
*Listen! He's crying.*

▶ Il est formé de l'auxiliaire *be* conjugué et de la base verbale à laquelle on ajoute *-ing*.

**Forme affirmative :**
*I am eating,*
*he is eating,*
*they are eating.*

**Forme interrogative :**
*Are you eating?*
*Is she eating?*
*Are they eating?*

**Forme négative :**
*I am not eating,*
*he is not eating,*
*they are not eating.*

### ● Le présent en *be* + *-ing* à valeur de futur

On utilise le présent en *be* + *-ing* pour parler d'une **action future déjà planifiée au moment où l'on parle.**

*Sorry, it isn't possible tomorrow.*
*I'm going to London.*
*Don't forget that we are playing tennis at 4 pm on Wednesday!*

CORRIGÉS ➜ p. 121

# Conquêtes, paix romaine et romanisation

## LE COURS

### Un vaste empire

▶ **Du v^e siècle au i^e siècle avant J.-C.**, Rome fait la **conquête de tout le bassin méditerranéen et d'une grande partie de l'Europe**. Par exemple, après la bataille d'Alésia en 52 avant J.-C., Jules César s'empare de la Gaule.

▶ C'est **en 27 avant J.-C. qu'Octave transforme la République en Empire**. Aux i^er et ii^e siècles après J.-C., l'Empire connait une période de paix qui permet le développement de l'économie et du commerce. Dans cet empire, les peuples conservent leurs traditions.

### Un empire uni

▶ **L'empereur** assure l'unité de l'Empire par le **pouvoir absolu** qu'il exerce. Il est représenté à travers tout l'Empire (statues, pièces…) et tous les habitants doivent participer au **culte impérial**.

▶ La ville de Rome (***Urbs***) est la **capitale politique et économique de l'Empire** et sert de modèle. Elle attire les habitants de l'Empire. Dans toutes les provinces, les Romains fondent des villes en y reproduisant les mêmes bâtiments et structures : forum, aqueduc, cirque, thermes…

▶ Progressivement, les peuples des provinces adoptent le **mode de vie des Romains**. C'est la **romanisation**. En 212, **l'édit de Caracalla** accorde la citoyenneté romaine à tous les hommes libres habitant dans l'Empire.

### VOCABULAIRE

**Romanisation :** adoption par les peuples de l'Empire du mode de vie, de la langue et des croyances des Romains.

**Empereur :** titre accordé au général victorieux soutenu par les dieux.

**1** **Relie chaque mot à la définition qui lui correspond (cours).**

| | |
|---|---|
| Urbs • | • place centrale d'une ville romaine |
| Empire romain • | • ville de Rome |
| Forum • | • territoire dominé par les Romains autour de la Méditerranée et en Europe |

**2** **Identifie les différents bâtiments romains de Timgad en reportant leur numéro sur la photo (doc.).**

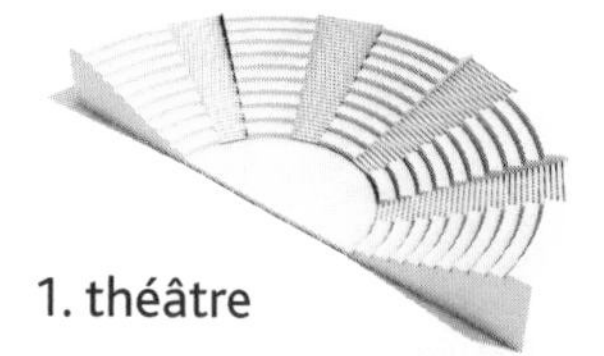

1. théâtre

2. temple romain

3. thermes

4. arc de triomphe

**3** **D'après ce document, comment vivaient les habitants de Timgad (doc.) ?**

........................................................................................................

........................................................................................................

**DOC** **La ville de Timgad (Afrique, actuelle Algérie)**

La ville de Timgad a été fondée vers 100.


CORRIGÉS → p. 121

# Modification du peuplement selon les saisons

**1** **Sous quelle forme le coquelicot passe-t-il l'hiver ? Comment appelle-t-on ce type de plante ? (doc. 1)**

.................................................................................................

**2** **Sous quelle forme la jonquille passe-t-elle l'hiver ? Comment appelle-t-on ce type de plante ? (doc. 2)**

.................................................................................................

**3** **Compare les cultures deux à deux. (doc. 3)**

**a** Quel est le facteur testé entre A et B ? .........................................

**b** Quel est le facteur testé entre A et C ? .........................................

**c** Quelle culture dois-tu faire pour tester l'influence de l'humidité sur la germination des graines ? Complète D dans le tableau.

**d** Avec quelle autre culture du tableau fais-tu une comparaison pour tirer une conclusion ? .........................................

**DOC 1**
**Le cycle du coquelicot**

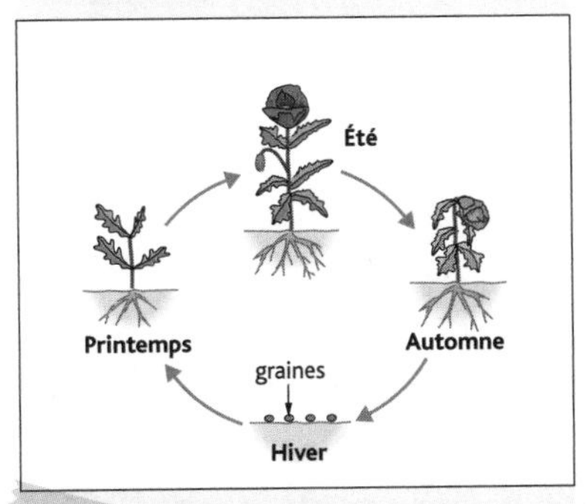


**DOC 2**
**Le cycle de la jonquille**

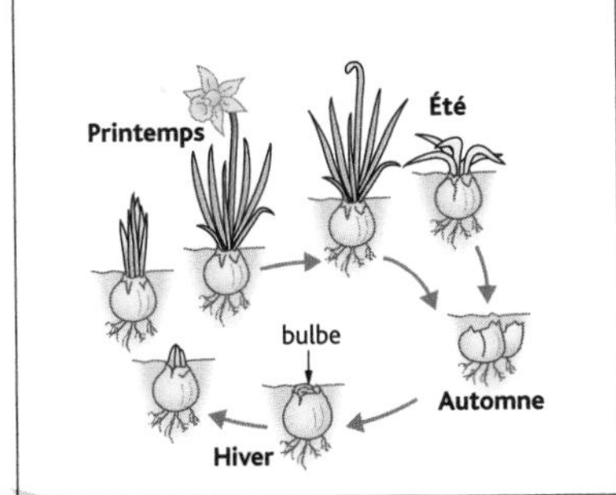


**DOC 3**
**Les conditions de germination des graines de lentilles**
Chaque boite renferme quelques graines posées sur du coton.

| Boites de culture | Conditions de culture | Résultats au bout de 10 jours |
|---|---|---|
| Boite A | Coton humide – 20 °C – Obscurité | Germination |
| Boite B | Coton humide – 5 °C – Obscurité | Pas de germination |
| Boite C | Coton humide – 20 °C – Lumière | Germination |
| Boite D | | |

## LE COURS

### Les végétaux annuels

▶ En hiver, leurs feuilles, leurs tiges et leurs racines disparaissent ; seules les **graines** produites résistent au froid.

▶ Au printemps, les graines germent dans un milieu humide et tempéré et donnent alors naissance à de nouveaux végétaux à fleurs.
Ces végétaux qui **ne vivent qu'une année** sont appelés végétaux annuels.

### Les végétaux vivaces

Ils restent présents en hiver, mais ils **changent de forme**.

▶ Certains ne perdent que leurs feuilles. Ils mettent en place des **bourgeons** qui, au printemps, donnent de nouvelles feuilles.

▶ D'autres perdent leurs parties aériennes. Ils conservent des organes souterrains comme les **rhizomes** ou les **bulbes** qui, au printemps, donnent de nouvelles plantes.

▶ Ces végétaux qui **vivent plusieurs années** sont appelés végétaux vivaces.

## Point expérience

### La démarche expérimentale

▶ Quand un chercheur tente de résoudre un **problème** (comment expliquer que… ?), il propose une solution : c'est l'**hypothèse** (je pense que…).

▶ Afin de tester son hypothèse, il réalise une **expérience** au cours de laquelle un seul **facteur** (humidité ou température ou éclairement) doit varier. Les autres facteurs qui peuvent agir sur le phénomène étudié ne doivent pas changer.

▶ D'après les résultats de l'expérience, le chercheur confirme ou rejette son hypothèse de départ.

CORRIGÉS → p. 121

# Bilan de la séquence 8

**Ton score** /20

## Français

**1 Souligne dans ces phrases les verbes au futur.**

Elle aimerait bien aller voir un film au cinéma mais il ne voudra jamais voir autre chose qu'un film d'action. Elle le lui proposera malgré tout mais il serait très étonnant qu'il change d'avis. Alors elle n'aura pas d'autre choix que d'y aller avec sa meilleure amie.

/1

**2 Complète avec les formes correctes au futur.**

a. Nous .......... une grande maison.
- ☐ habitions
- ☐ habiterons
- ☐ habiterions

b. On .......... construire une grande piscine.
- ☐ fait
- ☐ ferait
- ☐ fera

/2

**3 Relie chaque complément circonstanciel souligné à ce qu'il indique.**

a. Le chat saute <u>sur la table basse</u>. • • temps

b. Le peintre n'a pas terminé, <u>faute de temps</u>. • • lieu

c. <u>Dans une semaine</u>, la boutique ouvrira. • • cause

/1

## Maths

**4 Observe les codages sur les triangles, puis coche les réponses qui caractérisent le mieux chacun de ces triangles.**

1 2 3 4

| | équilatéral | isocèle | rectangle | quelconque |
|---|---|---|---|---|
| triangle n°1 | | | | |
| triangle n°2 | | | | |
| triangle n°3 | | | | |
| triangle n°4 | | | | |

/2

**5 Dans un triangle, la somme des angles est égale à 180°. Observe le triangle BAC, puis coche les réponses correctes, sachant que $\widehat{A} = 40°$.**

• Quelle est la mesure de l'angle $\widehat{C}$ ?
☐ 50° ☐ 60° ☐ 70°

• Quelle est la mesure de l'angle $\widehat{B}$ ?
☐ 50° ☐ 60° ☐ 70°

A C B

/2

**6 Coche les huit réponses correctes.**

| | les diagonales ont le même milieu | les diagonales ont la même longueur | les diagonales sont perpendiculaires |
|---|---|---|---|
| Dans un parallélogramme... | | | |
| Dans un rectangle... | | | |
| Dans un losange... | | | |
| Dans un carré... | | | |

/4

## Anglais

**7 Choisis la forme correcte du présent en *be + ing*.**

a. A little boy ........ a delicious cake!
☐ eats ☐ is eating ☐ are eating

b. A girl ........ to windsurf.
☐ are trying ☐ is trying ☐ tries

c. A man ........ to his children.
☐ talks ☐ are talking
☐ is talking

d. Two women ........ .
☐ are running ☐ are run
☐ is running

/4

**8 Entoure la (ou les) phrase(s) où le présent en *be + ing* a valeur de futur et souligne le marqueur de temps.**

a. Listen! They are singing!

b. Don't forget! We're going to the cinema tomorrow.

c. – What are you doing, Clara?
– I'm doing my homework!

/1

## Histoire

**9 L'unité de l'Empire romain repose :**

a. ☐ sur la guerre.

b. ☐ sur le pouvoir de l'empereur.

c. ☐ sur la diffusion du modèle de la ville de Rome.

/1

## Sciences et technologie

**10 Comment les végétaux annuels résistent-ils au froid ?**

..........................................................................

..........................................................................

/2

# SÉQUENCE 9

## Teste-toi avant de commencer

### Français

**1 Coche la phrase simple.**

☐ a. Il est interdit de stationner ici.

☐ b. Les vacances durent deux mois mais elles passent trop vite.

/1

**2 Coche la phrase complexe.**

☐ a. Nous rentrons de vacances.

☐ b. Les enfants se baignent, jouent, goutent, se baignent encore.

/1

**3 Ces deux vers riment l'un avec l'autre.**

Autour de mon cœur
Se répand une chaleur

☐ Vrai ☐ Faux

/2

### Maths

**4 a. Colorie en bleu 50 % du rectangle ci-dessous.**

**b. Colorie en gris 10 % du rectangle ci-dessous.**

| | | | | | | | |
|---|---|---|---|---|---|---|---|
| | | | | | | | |
| | | | | | | | |
| | | | | | | | |
| | | | | | | | |

/4

**5 Effectue les calculs, puis coche les réponses correctes.**

Sachant que 2 kg de belles cerises coutent 9 €,

a. 4 kg de cerises coutent... 36 ☐ 13 ☐ 18 ☐ €

b. 5 kg de cerises coutent... 45 ☐ 22,50 ☐ 14 ☐ €

/4

### Anglais

**6 Complète par *there is* ou *there are*.**

........................ four bedrooms in this house.

/2

**7 Complète par la bonne préposition de lieu.**

My car is ........... the red car and the yellow car.

☐ in ☐ between ☐ under

/2

### Géographie

**8 Comment appelle-t-on le nombre d'habitants par km$^2$ ?**

..................................................

/2

### Sciences et technologie

**9 Quels constituants importants pour l'alimentation contient le lait ?**

..................................................................

/2

**Ton score** /20

# Rêves d'enfant

Bonnets de laine vierge
Sur petits visages noirs
Flocons de neige
Au bout du nez qui fondent
5 Deux tresses blondes bataillent
Pour attraper le bus
Volent une pomme au passage
Révisent une leçon d'un saut de puce
Les gros cartables vers l'école courent
10 De grammaires lourds
Encore en retard
Et puis des rêves de pop star
Trousses remplies
De stylos bille
15 De ciseaux à bouts ronds
De trucs super cools
De définitions
Une boule de gomme à l'odeur de fraise chimique
Bouscule une virgule
20 Une formule de mathématiques
Se cogne dans la salle de classe
Paroles du professeur qui s'envolent de sa moustache
Qui hésitent qui se barrent
Et puis des rêves de pop star
25 Grincements de Nike air
Sur le béton du préau l'hiver
Des gros mots, plein d'gros mots
Dans la cour de récréation
Les enfants qui jouent
30 Les enfants qui jouent pas
Les pleurs du p'tit gros qui s'étale
Le p'tit gros qu'a mal
Qu'on traite de gros lard
Et puis des rêves de pop star
35 Brouhahas de toutes les couleurs
Rumeurs
De géographies lointaines
Coiffées comme une teigne
Rachid se fait insulter en turc
40 Momo se prend un uppercut
Coup de poing, coup de pied
Chagrin qui coule du nez
Gwendoline renifle
Elle vient de se prendre une gifle
45 Les autres qui s'marrent
Et puis des rêves de pop star

K'trin-D, « Des rêves de pop star », *Le Slam, poésie urbaine*, illustré par Jean Faucheur, ©K'Trin-D, poète performer, anime des ateliers de slam partout en France avec l'association Slam Productions. Elle organise le Grand Slam national, la Coupe du monde de poésie et le Grand Slam interscolaire. Mango, « Albums Dada », 2006.

- **Lire une poésie**
- **Identifier les phrases simples et les phrases complexes**

**Coup de pouce**

### La poésie : un genre littéraire

▶ Il existe **différents genres littéraires** : la poésie, le roman, la nouvelle, le conte, le théâtre...

▶ La poésie est le plus souvent écrite en **vers**, mais il existe aussi des poèmes en prose.

▶ On trouve les poèmes dans des **recueils de poésie**.
Fables *(Jean de La Fontaine)*, Paroles *(Jacques Prévert)*...

## Compréhension

**1 Ce texte est écrit :**

- ☐ en prose.
- ☐ en vers libres (ou irréguliers).
- ☐ en vers réguliers.

**2 La scène se passe principalement dans :**

- ☐ une salle de sport.
- ☐ un terrain de football.
- ☐ une cour de récréation.


CORRIGÉS → p. 122

## Versification

**3 Trouve dans le texte la rime de ces mots :**

a bus (v. 6) : ............................... b courent (v. 9) : ...............................

c chimique (v. 18) : ...............................................................................................

**4 En t'aidant des rimes, recopie la suite du texte correctement (8 vers). Attention à ne pas oublier la majuscule à chaque début de vers.**

Éclate sous une casquette à l'envers sur la tête rose malabar dedans des rêves de pop star les rangez-vous les calmez-vous les gros cartables balourdés sur les tables

..........................................................................

..........................................................................

..........................................................................

..........................................................................

..........................................................................

..........................................................................

..........................................................................

..........................................................................

**5 Entoure dans le texte le vers qui revient comme un refrain.**

## Grammaire

**6 Entoure les verbes dans les phrases suivantes, puis indique si elles sont simples ou complexes.**

a Les enfants jouent toute la journée dans la cour de récré.

...............................................................................................................

b Rachid se fait insulter en turc, Momo se prend un uppercut.

...............................................................................................................

c Les enfants qui jouent dans la cour doivent bientôt rentrer en classe. ...............................................................................................

**7 Combien de propositions le passage souligné dans le texte contient-il ?**

☐ Une. ☐ Deux. ☐ Trois.

## LE COURS

### Le texte poétique

▶ Le texte poétique est souvent écrit en **vers**. Les vers peuvent être **réguliers** (il y a alors le même nombre de syllabes dans tous les vers), **irréguliers** ou **libres** (le nombre de syllabes varie d'un vers à l'autre).

▶ On repère souvent des rimes à la fin des vers. Ces **rimes** peuvent se suivre (*pied/nez*) (v. 41-42) ou pas (*vierge/neige*) (v. 1 et 3).

### Phrase simple et phrase complexe

▶ **La phrase simple**

Une phrase simple contient **un seul verbe conjugué**.

*Je veux être chanteur.*

▶ **La phrase complexe**

• Une phrase complexe contient **plusieurs verbes conjugués** possédant chacun un **sujet propre** : il y a **plusieurs propositions**.

*Des enfants jouent aux billes dans un coin de la cour pendant que d'autres préfèrent organiser un jeu de ballon, tandis que certains s'adonnent à la corde à sauter.*
(3 verbes conjugués → 3 propositions).

• **Les propositions coordonnées** sont liées entre elles par des conjonctions de coordination : *et, ou, mais, donc*...

*L'école est un peu vétuste **et** les enfants préféreraient un endroit lumineux et coloré.*

• **Les propositions juxtaposées** sont liées entre elles par des marques de ponctuation.

*Je me dépêche : je suis en retard ; les grilles vont fermer.*

CORRIGÉS → p. 122

# À fond la glisse 

## 1 Tout schuss !

La station de ski « Le glacier » propose quatre descentes balisées de ski sur herbe : les pistes noire, bleue, verte et rouge.
2 cm sur la carte représentent 5 km.

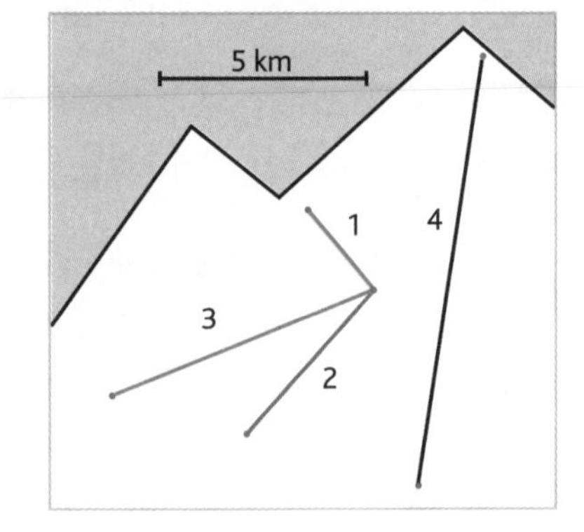


**a Calcule les longueurs des pistes et complète le tableau.**

| Piste | noire | bleue | verte | rouge |
|---|---|---|---|---|
| Distance sur la carte (en cm) | 4 | 3 | 2 | 1 |
| Distance dans la réalité (en km) | | | 5 | |

Tu peux commencer par calculer la longueur de la piste rouge.

**b Coche les réponses correctes.**

Le tableau ci-dessus montre-t-il une situation de proportionnalité ? ☐ oui ☐ non

On passe des dimensions sur la carte (en cm) aux dimensions réelles (en km) : ☐ en divisant par 2,5. ☐ en multipliant par 2,5.

## 2 La glisse, ça s'apprend

L'école « Les aigles » propose des leçons de parapente d'une heure. Les tarifs sont : 30 € pour un forfait de deux leçons, 50 € pour quatre leçons, 100 € pour dix leçons.

**a Présente ces tarifs dans le tableau ci-contre.**

| Nombre de leçons | | | |
|---|---|---|---|
| Prix en € | | | |

**b Calcule le prix de la leçon dans chacun des cas en choisissant parmi les propositions ci-dessous. Attention : certaines propositions serviront plusieurs fois, et d'autres ne sont pas utiles.**

+ | − | × | : | 2 | 4 | 10 | 12,5 | 15 | 20 | 30 | 50 | 100

Avec le forfait de 2 leçons, le prix d'une heure se calcule par :

........... ........... ........... = ........... €.

Avec le forfait de 4 leçons, le prix d'une heure se calcule par :

........... ........... ........... = ........... €.

Avec le forfait de 10 leçons, le prix d'une heure se calcule par :

........... ........... ........... = ........... €.

- Proportionnalité
- Pourcentages

**Coup de pouce**

**Le passage par l'unité**

- 2 cm sur la carte représentent 5 km réels.
- 1 cm est 2 fois plus petit, donc 1 cm représente $\frac{5}{2}$ km = 2,5 km.
- 3 cm = 3 × 1 cm donc 3 cm représentent $3 \times \frac{5}{2}$ km = 7,5 km.
- Remarque : 1 cm sur la carte représente 2 500 m, soit 250 000 cm réels ; donc, la carte est à l'échelle $\frac{1}{250\,000}$.


CORRIGÉS → p. 122

**c Complète avec « est » ou « n'est pas ».**

Conclusion : le prix à payer ...................... proportionnel au nombre d'heures de leçons.

**d Reporte sur le diagramme en bâtons ci-contre le prix des quatre et dix leçons.**

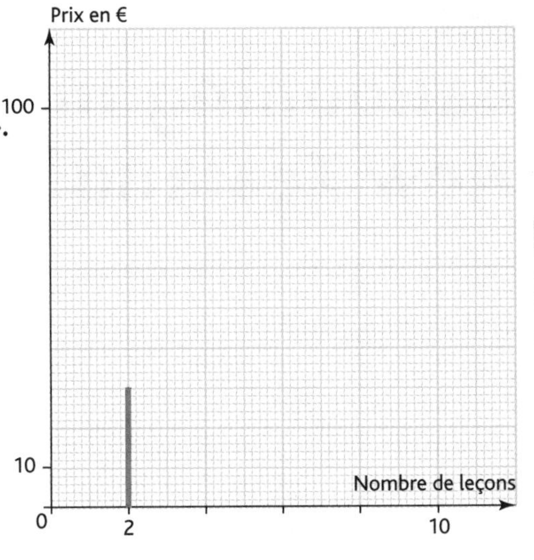


## 3 Fan des marques

Les skieurs adorent avoir des skis de grandes marques utilisés par les champions. À l'école de glisse, il y a 45 paires de ski : 60 % sont des Sprint, les autres sont des Wizz.

**Complète les calculs de la mesure de chaque angle du diagramme, puis vérifie en mesurant au rapporteur.**

100 % des skis sont représentés par le demi-disque, donc par un secteur de 180°.

Sprint : 60 % de 180 = $\frac{180 \times \ldots\ldots}{\ldots\ldots\ldots\ldots}$ = .....°

Wizz : 40 % de 180 = $\frac{180 \times \ldots\ldots}{\ldots\ldots\ldots\ldots}$ = .....°

Wizz
Sprint 60 %

## DÉFI VACANCES

**Des affaires d'enfer !**

En fin de saison, on solde chez « Glisse à donf ». **Sauras-tu faire correspondre les objets à leur prix ?**

| | Montant de la réduction | Prix final |
|---|---|---|
| Skis : 90 € Réduction 50 % | 10 € | 36 € |
| Combinaison : 60 € Réduction 40 % | 24 € | 40 € |
| Snowboard : 50 € Réduction 20 % | 45 € | 45 € |

# LE COURS

## Proportionnalité

Deux grandeurs sont proportionnelles lorsque les valeurs de l'une s'obtiennent en **multipliant ou divisant les valeurs de l'autre par un même nombre** (non nul).

| Brioches | 2 | 3 | 5 |
|---|---|---|---|
| Prix en € | 1,8 | 2,7 | ? |

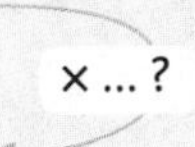


**▶ Méthode**

Pour savoir si ce tableau traduit une situation de proportionnalité, calcule les quotients $\frac{1,8}{2} = 0,9$ et $\frac{2,7}{3} = 0,9$.

**Ils sont égaux**, donc le prix à payer est proportionnel au nombre de brioches.

Le **coefficient de proportionnalité** est le prix d'une brioche : 0,90 €.
5 brioches coutent 5 **× 0,9** = 4,5 €.

## Pourcentages

Un pourcentage exprime une proportion : calculer ***n* %** (on lit « *n* pour cent ») d'un nombre, c'est **multiplier ce nombre par** $\frac{n}{100}$.

*Un disque dur de 300 Go (gigaoctets) est rempli à 40 %. Il contient donc :*

*$300 \times \frac{40}{100} = 120$ Go de données.*

- **100 %** d'une quantité représente **la totalité** de cette quantité ; $\frac{100}{100} = 1$.
- **50 %** d'une quantité représente **la moitié** de cette quantité ; $\frac{50}{100} = \frac{1}{2}$.
- **25 %** d'une quantité représente **le quart** de cette quantité ; $\frac{25}{100} = \frac{1}{4}$.

CORRIGÉS → p. 122

Nathan **live!**

# Ballooning in New Zealand!

SUNRISE BALLOON ADVENTURES

**1. When do you fly?**
Flights are at dawn, when the air is cool and calm.
**2. Where are you situated?**
We are located in Queenstown, South Island, New Zealand.
**3. Do you fly all year?**
Yes, flights are all year round, seven days a week, weather permitting.
**4. How many people are there in the balloon?**
Our balloons carry 12-14 people.

## Compréhension

**1** ***Right* or *wrong*? Entoure la bonne réponse pour chaque phrase.**

| | | |
|---|---|---|
| a You can fly early in the morning. | right | wrong |
| b You can start flying at lunch time. | right | wrong |
| c You can fly in January, February and March. | right | wrong |
| d You can fly on Saturdays and Sundays. | right | wrong |

**2** **Complète le nom du pays sous chaque drapeau et coche le pays où ont lieu ces vols.**

a ❑ A_ _T_ _ _ _ _ b ❑ N_ _ Z_ _ _ _ _ _ c ❑ G_ _ _ _ B_ _ _ _ _ _

**3** **Coche la bonne proposition.**

a Les mots *sunrise* et *dawn* évoquent :

❑ la nuit ❑ le matin
❑ le soir ❑ l'après-midi

b Quelle expression fait référence à la météo ?

❑ seven days a week ❑ all year round
❑ weather permitting

- Les prépositions
- *There is / There are*

**VOCABULAIRE**

**sunrise:** lever du soleil
**flight:** vol
**dawn:** aube
**all year round:** toute l'année
**seven days a week:** sept jours sur sept
**weather permitting:** quand le temps le permet
**carry:** transporter
**lunch time:** l'heure du déjeuner
**early:** de bonne heure


CORRIGÉS → p. 123

## Grammaire

**4** **Regarde les dessins et complète chaque phrase par l'une des prépositions suivantes :** ***on – under – in – behind***

**a** Look! What is .................................... the bag?

**b** Is the cap .................................... the woman's head?

**c** The man is swimming .................................... water.

**d** Help! There is a shark .................................... him!

**5** **Parmi les deux propositions, choisis celle qui convient et souligne-la.**

**a** There is a mountain *next to / on* the photo.

**b** *There is / There are* seven days in a week! You're right!

**c** There are two balloons *above / under* the valley.

**6** **Regarde la carte de la Nouvelle-Zélande et son drapeau p. 90 et complète les phrases avec** ***there is*** **ou** ***there are*** **à la forme qui convient (affirmative, interrogative ou négative).**

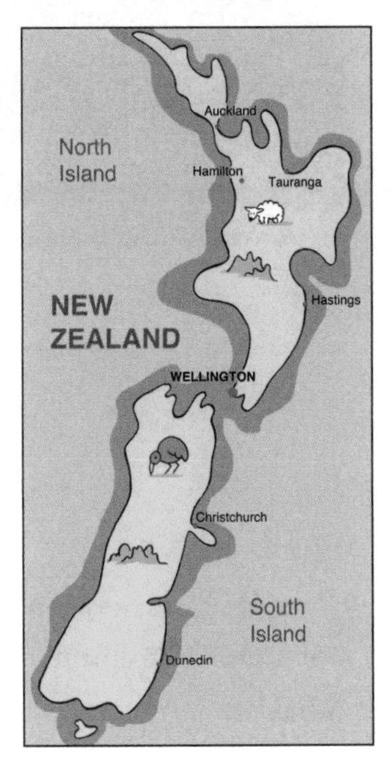


**a** .................................... two important islands in New Zealand: North Island and South Island.

**b** – .................................... a city called Wellington?
– Yes, it's the capital of New Zealand.

**c** – ............................. many stars on the New Zealand flag?
– No, ............................. . Only four red stars.

# LE COURS

## Les prépositions

Voici les prépositions les plus courantes :

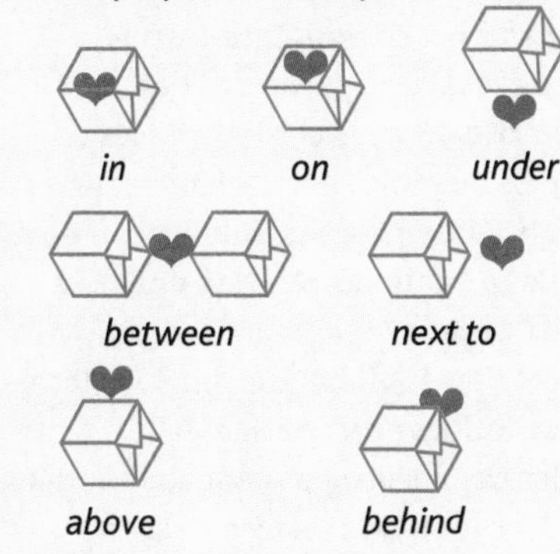


## *There is / There are*

**Pour traduire « il y a »,** on utilise *there is* (singulier) ou *there are* (pluriel).

| | singulier | pluriel |
|---|---|---|
| + | there is | there are |
| ? | is there... ? | are there... ? |
| – | there isn't | there aren't |

*There are a lot of visitors today.*
→ Il y a beaucoup de visiteurs aujourd'hui.
*– Is there a kiwi under the tree?*
→ Y a-t-il un kiwi sous l'arbre ?
*– No, there isn't.*
→ Non, il n'y en a pas.

### Info plus

▶ **Connais-tu les symboles de la Nouvelle-Zélande ?**

**Le Kiwi** est l'emblème de la Nouvelle-Zélande. Cet oiseau de nuit, muni d'un long bec, ne sait pas voler !

**Les All Blacks :** c'est la redoutable équipe nationale de rugby à XV. Ils sont connus pour leur impressionnant chant de guerre, le « haka ».

CORRIGÉS → p. 123

# La variété des formes d'occupation spatiale

## LE COURS

### Résider

▶ Dans les **espaces urbains**, les **densités de population sont élevées**. Une partie de l'habitat est **verticale**, avec des immeubles de plus ou moins grande hauteur. **Plus on s'éloigne de la ville centre et de la banlieue, plus les densités de population diminuent** car l'étalement urbain se fait sous forme de lotissements pavillonnaires dans les pays développés et de bidonvilles dans les pays émergents ou en développement.

▶ Dans les **espaces ruraux**, les **densités de population sont moins fortes**. L'habitat est **horizontal**. Les densités de population de l'habitat groupé (village) sont plus fortes que dans l'habitat dispersé (habitations éloignées les unes des autres). Les densités de population sont **très faibles** dans les espaces à fortes contraintes, quand l'habitat est **nomade**.

### Se déplacer et produire

▶ Les infrastructures de transport sont plus ou moins nombreuses selon les densités de population, la richesse du pays et les contraintes naturelles. Cependant, partout, la **mobilité** des hommes **augmente et se diversifie** : tourisme des habitants des pays développés, exode rural dans les pays en développement... Ces déplacements contribuent à diffuser le mode de vie urbain dans les campagnes.

▶ **Les campagnes sont les lieux de production agricole**. Les **espaces urbains** accueillent les **industries** et les **activités de service** (bureaux, commerces). Sur les **littoraux** se développent les **zones industrialo-portuaires et le tourisme**. Les différents habitants doivent **cohabiter**.

**1** **Écris le mot qui correspond à la définition suivante. (cours)**

Déplacement : .................................... De la ville : ....................................

Habitations éloignées les unes des autres : ....................................

**2** **Classe les documents de la plus forte à la plus faible densité de population. (doc.)**

..............................................................................................................

**3** **Reporte dans les cases de chaque document les lettres qui lui correspondent. (doc.)**

a Littoral
b Espace agricole de faible densité
c Métropole
d Habitations
e Production agricole
f Bureaux et commerces

**DOC 1** Canterbury (Nouvelle-Zélande)

☐ ☐

**DOC 2** Shanghai (Chine)

☐ ☐ ☐

**DOC 3** Dubaï (Émirats arabes unis)

☐ ☐ ☐

**VOCABULAIRE**

**Nomade :** personne qui n'a pas d'habitat fixe.
**Mobilité :** déplacement.
**Cohabiter :** vivre avec les autres habitants.

 CORRIGÉS → p. 123

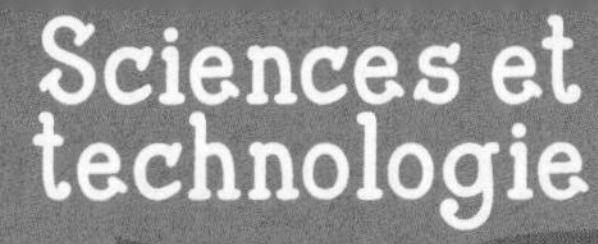

# Le yaourt : utilisation de microorganismes

**1** **Explique pourquoi le contenu du pot A change de consistance. (doc. 1, doc. 3)**

..................................................................................................

**2** **Quelle différence de gout existe-t-il entre du lait et un yaourt nature ?**

..................................................................................................

**3** **En comparant les pots A et B, indique ce qu'il y a dans la cuillère de yaourt. (doc. 1)**

..................................................................................................

**4** **En comparant les pots A et C, explique l'effet d'une température trop élevée sur les ferments lactiques. (doc. 1, doc. 2)**

..................................................................................................

**DOC 1**
**L'importance du facteur température**

| | Température | Consistance au début de l'expérience | Consistance 5 heures plus tard |
|---|---|---|---|
| **Pot A :** lait + ferments lactiques | 45 °C | liquide | ferme |
| **Pot B :** lait + une cuillère de yaourt | 45 °C | liquide | ferme |
| **Pot C :** lait + ferments lactiques | 65 °C | liquide | liquide |

**DOC 2**
**Consistance liquide**

**DOC 3**
**Consistance ferme**

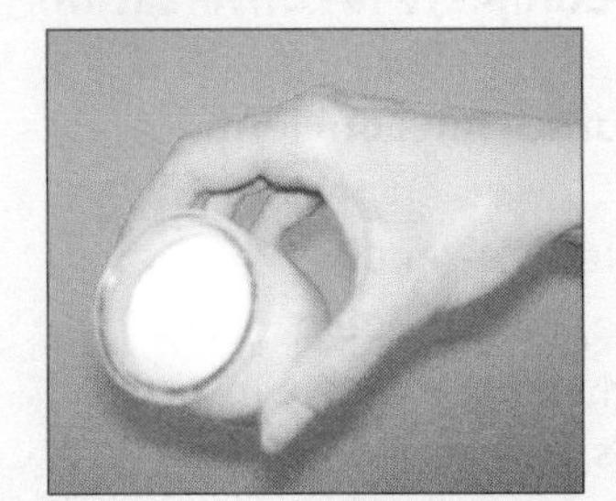

## LE COURS

### ● La composition d'un yaourt

Il contient les mêmes constituants importants pour l'alimentation humaine que le lait : de l'eau, des minéraux, des sucres (= **glucides**), des matières grasses (= **lipides**) et des **protéines**.

On y trouve en plus de l'acide lactique et des ferments.

### ● Le rôle des ferments

▶ Les ferments sont des bactéries, êtres vivants visibles uniquement au microscope.

▶ Ils transforment le sucre du lait en acide. Cette transformation est appelée fermentation et se produit à 45 °C pendant 5 heures.

▶ L'acide fait **cailler** le lait, c'est-à-dire que le lait prend une consistance ferme : le yaourt est prêt !

### Point expérience

▶ **Mettre en évidence un des constituants du lait**

Sur un filtre à café, dépose une goutte d'huile, une goutte d'eau et une goutte de lait.

Les matières grasses contenues dans l'huile et le lait **laissent une trace translucide** sur le filtre à café.

▶ **Faire cailler du lait sans ferments**

Ajoute à du lait un peu d'acide (du vinaigre ou un jus de citron par exemple).

**Tu peux voir que le lait est moins liquide qu'au départ.**

CORRIGÉS ➜ p. 123

# Bilan de la séquence 9

**Ton score** /20

## Français

**1 Classe les phrases en deux groupes, en reportant leur lettre.**

a. Le temps n'a pas toujours été très ensoleillé.
b. Il n'y avait pas de soleil ; on trouvait d'autres occupations que la baignade.
c. Les enfants ont rencontré de nouveaux amis.
d. Sur la plage, on entendait parler plusieurs langues.
e. Le garçon est furieux car son cousin a abimé son château de sable.
f. Il en est désolé et présente ses excuses.
g. Il faut ranger le maillot de bain maintenant !

Phrases simples : ..........................

Phrases complexes : ....................

/2

**2 Dans les phrases de l'exercice ci-dessus, classe les phrases complexes en reportant leur lettre.**

Propositions coordonnées :

.............................................................

Propositions juxtaposées :

.............................................................

/2

**3 Complète les vers avec les rimes proposées : *pluie*, *manteau*, *beau*, *broderie*.**

Le temps a laissé son ...............
De vent, de froidure et de ......... ,
Et s'est vêtu de ............... ,
De soleil luisant, clair et ........... .

Charles d'Orléans, *Rondeaux*, XVe siècle.

/1

## Maths

**4** Lucie prépare une compote, composée de 75 % de pommes et 25 % d'abricots.
**Complète le tableau ci-dessous.**

| Compote (en kg) | 1 | 4 | |
|---|---|---|---|
| Pommes (en kg) | | | 6 |
| Abricots (en kg) | | | |

× $\frac{...}{...}$ × $\frac{...}{...}$

/4

**5** Le graphique ci-dessous montre les tarifs d'affranchissement des lettres « vertes » en France, en 2016.
**Quel est le prix du timbre pour une lettre pesant :**

a. 10 grammes ? ........................ €
b. 120 grammes ? ...................... €
c. 270 grammes ? ...................... €
d. 40 grammes ? ....................... €

Prix du timbre en €
4,20
2,80
1,40
0,70
0 20 100 200 250
Masse en g

/4

## Anglais

**6 Complète la conversation par *there is* ou *there are* à la forme qui convient.**

– ................. any wild monkeys in New Zealand?
– No, ............... . But ............... many unique native insects, birds, lizards and frogs.
– Is Nico the gorilla the most dangerous animal in the park?
– No, ....................... also a hippo!

/2

**7 Complète par la préposition de lieu indiquée en début de chaque phrase.**

a. I can see a balloon ........... the sky.
b. Look at these lovely flowers ........... the tree!
c. Who is hiding ........... the wall?

/1

## Géographie

**8 Lequel de ces espaces a la plus faible densité ?**

- ☐ Habitat nomade.
- ☐ Habitat groupé.
- ☐ Habitat dispersé.

/2

## Sciences et technologie

**9 Quels sont les principaux constituants des aliments ?**

.............................................................
.............................................................
.............................................................
.............................................................

/2

# Teste-toi avant de commencer

## Français

**1 Quelle est la forme correcte du verbe *patienter* au présent du conditionnel à la 2e personne du singulier ?**

☐ patienteras ☐ patienterais ☐ patientais

/2

**2 Conjugue le verbe *dire* au présent du conditionnel.**

Tu ..............................

Ils ............................

/2

**3 Barre l'intrus dans cette famille de mots.**

coloration – couleur – multicolore – coloriage – collage

/2

## Maths

**4** Un pavé droit a été représenté en perspective.

a. **Trace les arêtes cachées.**

b. **Combien de faces a ce pavé ?** .........

c. **Combien d'arêtes a ce pavé ?** .........

d. **Toutes ses faces sont des** ..............................

/4

**5 Convertis les unités.**

| | 1 000 L | 100 L | 1 L | 1 cL | 1 mL |
|---|---|---|---|---|---|
| 1 $dm^3$ | | | x | | |
| 1 $m^3$ | | | | | |
| 1 $cm^3$ | | | | | |

/2

## Anglais

**6 Quelle est la phrase qui contient un verbe au prétérit ?**

☐ It's not raining this afternoon.
☐ Yesterday, Jill came to visit us.
☐ Tomorrow, we're going to a concert.

/2

**7 Choisis la forme correcte de l'auxilliaire au prétérit.**

...................... he go to the beach yesterday?

☐ Does ☐ Did ☐ Doesn't

/2

## Histoire

**8 Quel est le texte qui a permis aux chrétiens de pratiquer leur religion dans l'Empire romain ?**

☐ Édit de Théodose
☐ Édit de Milan
☐ Édit de Rome

/2

## Sciences et technologie

**9 Le charbon est une source d'énergie renouvelable.**

☐ Vrai ☐ Faux

/2

**Ton score** /20

- **Conjuguer au présent du conditionnel**
- **Former des mots**

# La patience, ça s'apprend !

**C'est quoi, avoir de la patience ?**

C'est savoir pendre le temps qu'il faut pour réfléchir avant d'agir et laisser le temps aux autres de le faire aussi.

**Est-ce que la patience, ça s'apprend ?**

5 Oui ! La patience, c'est une question de temps. On ne met pas tous le même temps pour réfléchir, pour décider ou pour réagir. On peut apprendre à respecter notre temps et aussi celui des autres. Par exemple, quand on pose une question simple à un copain, on pense parfois qu'il **devrait** répondre tout de suite parce que la question 10 est facile. Mais lui, il a peut-être besoin de réfléchir un peu avant de nous répondre. Apprendre la patience, c'est simplement attendre un peu l'autre sans le forcer. Comme on sait naturellement faire la différence entre quelqu'un qui a besoin de temps pour nous répondre et quelqu'un qui n'a pas entendu la question, pour découvrir la 15 patience il suffit de se taire, d'observer et d'attendre ! Souvent, on **aimerait** tout avoir très vite. Mais prendre son temps et accepter que les autres prennent leur temps aussi, c'est très important.

**Est-ce que les adultes impatients peuvent aussi apprendre la patience ?**

20 Bien sûr ! Les adultes ne sont pas plus bêtes que nous ! On peut apprendre la patience même quand on est vieux. Pour les bonnes choses, il n'est jamais trop tard.

Hélène Bruller et Charles Berberian, *Le Guide du Supermoi !*,

## Écrire pour expliquer et argumenter

▶ Un auteur peut chercher à **convaincre** le lecteur : il lui faut alors **expliquer et argumenter**. Pour cela, il fait appel à des **exemples** et à des **liens logiques** (*souvent*, *mais*...).

▶ Le **texte explicatif** vise à **apprendre** quelque chose à celui qui le lit. Par exemple, ici, ce qu'est la patience. Il s'appuie sur des **exemples**.

*« Quand on pose une question simple à un copain, on pense parfois qu'il devrait répondre tout de suite [...]. Apprendre la patience, c'est simplement attendre un peu l'autre sans le forcer. »*

▶ Le **texte argumentatif** vise à **convaincre** celui qui lit que l'on a raison. Par exemple, ici, que l'on peut apprendre la patience à tout âge. Il s'appuie sur des **arguments**.

*« Les adultes ne sont pas plus bêtes que nous. [...] Pour apprendre les bonnes choses, il n'est jamais trop tard. »*

## Compréhension

**1 Vrai (V) ou faux (F) ? Entoure la bonne réponse.**

a Pour être patient, il faut être toujours pressé. V F

b On peut apprendre la patience à tout âge. V F

c Tout le monde réfléchit exactement à la même vitesse. V F

 CORRIGÉS → p. 124

**2** **Coche les réponses qui te semblent exactes. Ce texte :**

- ❑ raconte une histoire.
- ❑ ressemble à un dialogue entre quelqu'un qui pose des questions et quelqu'un qui y répond.
- ❑ s'adresse aux adultes.
- ❑ permet d'apprendre des choses sur soi et sur les autres.

## Conjugaison

**3** **a** **Observe les verbes en gras. Trouve leur infinitif. Appartiennent-ils au même groupe ?**

..........................................................................................

..........................................................................................

**b** **Conjugue ces deux verbes à la même personne mais à l'imparfait et au futur. Quelles sont les ressemblances avec la forme présente dans le texte ?**

..........................................................................................

..........................................................................................

..........................................................................................

**4** **Réécris les phrases soulignées en mettant le verbe conjugué au présent du conditionnel.**

..........................................................................................

..........................................................................................

..........................................................................................

..........................................................................................

## Vocabulaire

**5** **À partir du mot en rouge, forme :**

**a** un verbe : .......................... **c** un autre nom commun : ..................

**b** un adjectif : ...................... **d** un adverbe : ..........................................

**6** **Trouve un nom commun et un verbe à partir de chaque mot en bleu. Quelle est la nature de chaque mot en bleu ?**

..........................................................................................

..........................................................................................

## LE COURS

### Le conditionnel

▶ **Formation du présent du conditionnel**

Le présent du conditionnel se forme avec le **radical du futur** suivi des **terminaisons de l'imparfait.**

- **Verbes du 1er groupe** :
  *placer → je placerais*
- **Verbes du 2e groupe** :
  *finir → je finirais*
- **Verbes irréguliers du 3e groupe** :
  *aller → j'irais*
  *faire → je ferais*
  *dire → je dirais*
  *prendre → je prendrais*
  *pouvoir → je pourrais*
  *voir → je verrais*
  *venir → je viendrais*
  *vouloir → je voudrais*
- ***Être* et *avoir*** :
  *être → je serais* *avoir → j'aurais*

▶ **Emplois du conditionnel**

Le conditionnel permet d'exprimer :
– la **condition** : *Si tu mangeais plus de vitamines, tu serais en meilleure santé.*
– le **souhait** : *Nous aimerions que tu ranges ta chambre plus souvent.*
– le **conseil** : *Tu devrais être un peu patient avec ton petit frère.*
– la **politesse** : *Pourriez-vous m'aider à porter ma valise, s'il vous plait ?*

### La formation des mots

▶ Une **famille de mots** regroupe tous les mots ayant **le même radical.**
*faible, faiblesse, faiblir, affaiblir.*

▶ Ces mots sont composés :
– du **radical** : *faible* ;
– d'un **préfixe** : *affaiblir* ;
– et/ou d'un **suffixe** : *faiblement.*

▶ Les préfixes et suffixes **changent le sens** et parfois **la classe grammaticale** des mots ayant le même radical :
*faiblesse → faiblir → faiblement*
nom commun verbe adverbe

CORRIGÉS → p. 124

# En pleine forme !

## 1 Un bel anniversaire

Pour son anniversaire, les parents de Marion lui ont offert une enceinte pour son lecteur MP3, un coffret contenant une paire de rollers et une petite tente de camping.

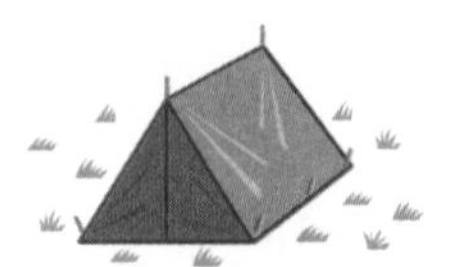

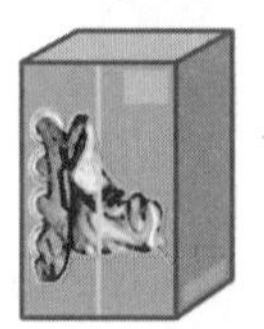

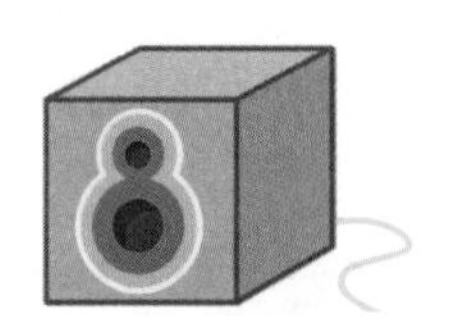

Ces objets ont-ils la forme d'un pavé droit, d'un cube ou d'un prisme droit ?

Observe la forme générale de ces objets.

**Coche la (ou les) réponse(s) correcte(s).**

| | Pavé droit | Cube | Prisme droit |
|---|---|---|---|
| **Enceinte** | | | |
| **Coffret cadeau** | | | |
| **Tente** | | | |

## 2 Des paquets de cadeaux

La tente et l'enceinte pour MP3 sont représentées ci-dessous en perspective cavalière.

**a En utilisant la règle, l'équerre et le compas, trace les arêtes cachées de ces deux solides.**

Les arêtes parallèles dans la réalité sont parallèles sur la perspective cavalière.

Figure 1

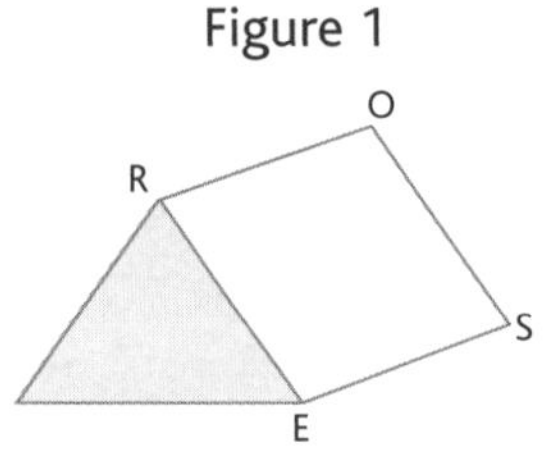


Figure 2

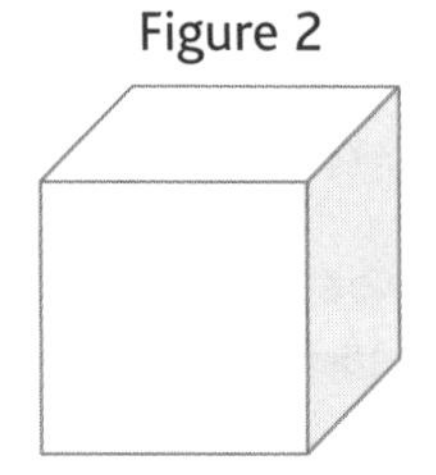

**b Observe la figure 1 et complète les phrases suivantes.**

Dans la réalité, la face ROSE est un .............................. ;

l'angle $\widehat{ESO}$ mesure donc ........................ °.

L'arête [ES] est ........................................ à l'arête [SO].

**c Sur la figure 2, marque les angles de la face avant et de la face supérieure qui sont droits dans la réalité.**

**d Sur la figure 2, marque les arêtes qui ont la même longueur dans la réalité.**

- Les solides
- Les volumes

### Comprendre la perspective cavalière

Un pavé droit est dessiné en **perspective cavalière** :

– les faces avant et arrière sont représentées par des rectangles ;

– les autres faces sont « déformées » en parallélogrammes ;

– les arêtes parallèles sont représentées par des segments parallèles ;

– les arêtes cachées sont tracées en pointillés.

## 3 On remet tout à plat

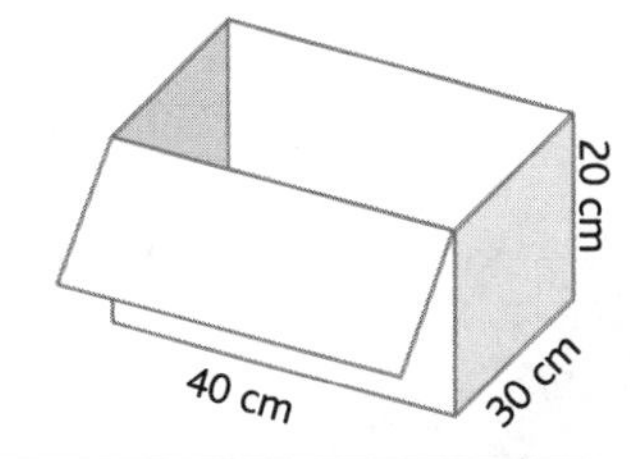


Les cadeaux étaient contenus dans ce carton d'emballage.

**a Complète le calcul de son volume.**

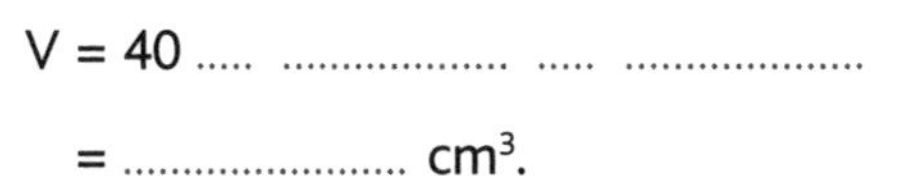

V = 40 ..... .................... ..... .....................

= ......................... cm³.

V = longueur x largeur x hauteur

**b Exprime ce volume en litres.**

V = ......................... L.

| m³ | | | dm³ | | | cm³ | | | |
|---|---|---|---|---|---|---|---|---|---|
| | | | | | | L | dL | cL | mL |
| | | | | | | 1 | 0 | 0 | 0 |

c Après avoir déballé ses cadeaux, Marion remet à plat ce carton d'emballage pour réduire son encombrement.

**Achève le dessin du patron qu'elle obtient.**

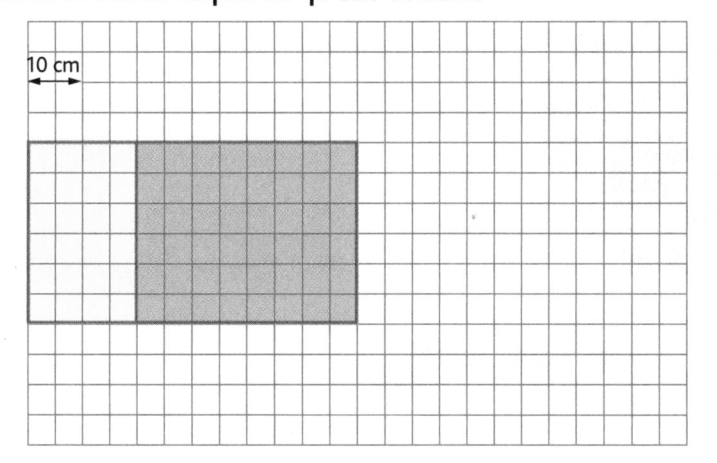


## DÉFI VACANCES

**Le dé ouvert**

Sur un dé à jouer, la somme des points portés par deux faces opposées est égale à 7.

**Sauras-tu marquer les points sur les faces du patron de dé ci-dessous ?**

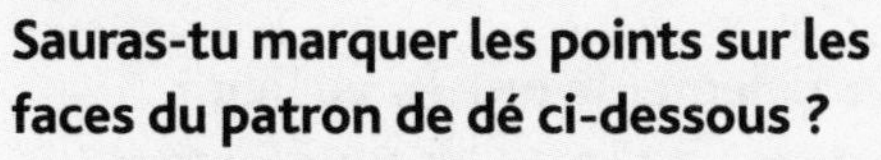

Imagine la position des faces après pliage.

## LE COURS

### Le pavé droit

Un pavé droit (ou parallélépipède rectangle) est un solide à **6 faces**, toutes **rectangulaires.**

Il a 8 sommets et 12 arêtes.

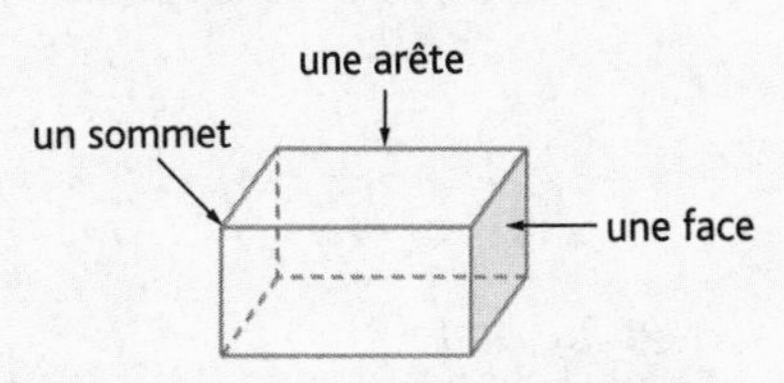


### Patrons de fabrication

Un patron est une **« mise à plat »** du solide : en le repliant, on reforme le solide.

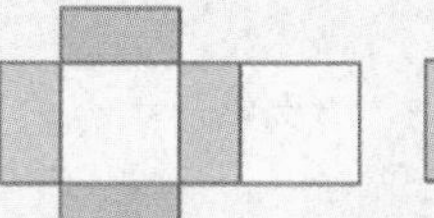

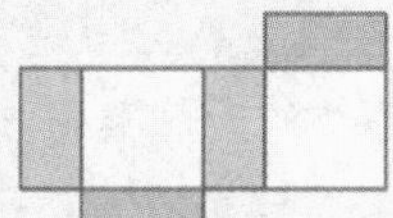

*Après pliage, les faces de même couleur seront parallèles.*

### Cas particulier : le cube

Un cube est un pavé droit dont **les 6 faces sont carrées.**

*Sur le dessin en perspective, les arêtes obliques sont raccourcies : dans la réalité BCFE est une face carrée, donc BC = CF.*

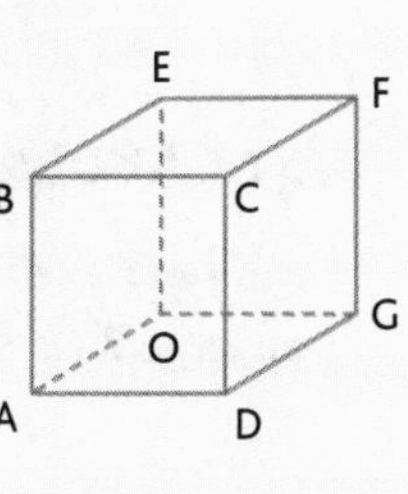


### Autres solides

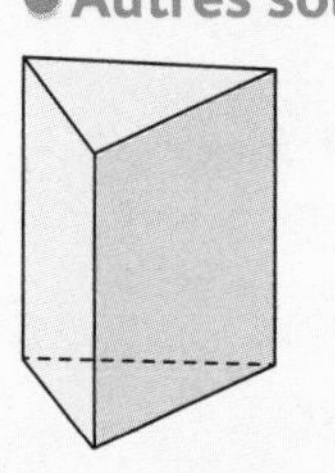

Prisme droit à base triangulaire

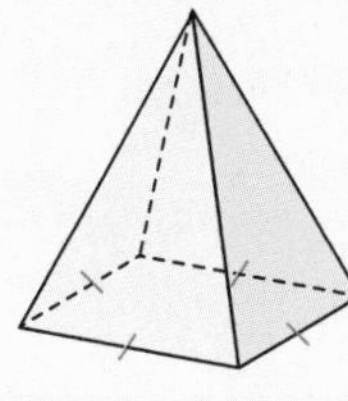

Pyramide à base carrée

CORRIGÉS → p. 124

# I swam with dolphins!

This morning, for the first time, in warm indigo water a mile off a white-sand beach in Kenya, I swam with dolphins.

I tumbled inelegantly into the ocean from the boat, secured my mask and snorkel, and ducked under the waves.

There, six feet in front, six feet below, no doubt six feet behind, two dozen dolphins slid gracefully past me from right to left...

• Le prétérit

**VOCABULAIRE**

**mile off... :** mile (≈ 1,5 km) au large de...

**white-sand beach:** plage de sable blanc

**tumble:** tomber (ici, en le faisant exprès)

**secure (my) mask:** ajuster (mon) masque

**snorkel:** tuba

**duck under the waves:** plonger dans les vagues

**six feet below:** six pieds (≈ 2 mètres) en dessous

**slid:** prétérit de *slide* (glisser)

## Compréhension

**1 De quel animal est-il question dans ce texte ? Coche la bonne réponse.**

a sharks ❑
b whales ❑
c seals ❑
d dolphins ❑

**2 Dans quel ordre les évènements ont-ils eu lieu ? Remets ces phrases dans l'ordre en les numérotant de 1 à 5.**

a She secured her mask and snorkel. ❑
b The woman was on a beautiful white-sand beach. 1
c She got on the boat. ❑
d She swam with dolphins. ❑
e She tumbled into the ocean. ❑

 CORRIGÉS → p. 125

## Grammaire

**3 Utilise le prétérit pour dire où étaient les personnages et ce qu'ils ont fait ou non l'été dernier.**

a be on holiday in Kenya ➜ ................................................................

b visit the country ➜ ................................................................

c see Kilimandjaro ➜ ................................................................

d not take any photos of sharks ➜ ................................................................

**4 Tout est mélangé ! Peux-tu relier la base verbale de ces verbes, leur prétérit et leur traduction ?**

| | | |
|---|---|---|
| do • | • played • | • avoir |
| have • | • was/were • | • faire |
| play • | • did • | • être |
| be • | • took • | • jouer |
| take • | • had • | • prendre |

**5 Écris le contraire des phrases ci-dessous.**

a We did not have lunch at home.

................................................................ .

b I was tired.

................................................................ .

c We saw many elephants.

................................................................

d I did not talk to John.

................................................................

**6 Retrouve les questions correspondant aux mots soulignés.**

a ................................................................ ?

I took the train <u>at 10 o'clock</u>.

b ................................................................ ?

They landed <u>in Nairobi</u>, the capital of Kenya.

## LE COURS

### ● Le prétérit

On utilise le prétérit pour parler d'évènements passés et achevés.

▶ **Prétérit de *be***

*I was – Was I…? – I was not/wasn't*
*You were – Were you…? – You were not/weren't*
*He/she/it was – Was he/she/it…? – He/she/it was not/wasn't*
*We were – Were we…? – We were not/weren't*
*They were – Were they…? – They were not/weren't*

▶ **Prétérit des verbes réguliers**

De nombreux verbes sont réguliers : *walk* (marcher), *land* (atterrir), *rain* (pleuvoir), *enjoy* (aimer)... Pour ces verbes, la forme est la même à toutes les personnes.
– Forme affirmative : **base verbale + *-(e)d***
– Forme interrogative : ***did* + sujet + base verbale**
– Forme négative : ***did not/didn't* + base verbale**

*What <u>did</u> you <u>enjoy</u> in Kenya?*
*We <u>enjoyed</u> everything!*

▶ **Les verbes irréguliers**

Au passé, ils ont tous des formes différentes qu'il faut apprendre...

| Base verbale | Prétérit | Traduction |
|---|---|---|
| *do* | *did* | faire |
| *go* | *went* | aller |
| *have* | *had* | avoir |
| *see* | *saw* | voir |
| *take* | *took* | prendre |

*– What <u>did</u> you <u>have</u> to eat in Kenya?*
*– We <u>had</u> a lot of fish.*

CORRIGÉS ➜ p. 125

# Des chrétiens dans l'Empire romain

## LE COURS

### La naissance d'un nouveau monothéisme

▶ **Jésus a vécu en Palestine**, une région de l'Empire romain. C'est **un Juif qui se présente comme le messie** (ou « **christ** » en grec). Il est **condamné à mort et crucifié vers 30**. Ses disciples, les apôtres, affirment qu'il est **ressuscité**.

▶ Les **premières communautés chrétiennes** apparaissent en Asie mineure, en Grèce et à Rome. Elles s'éloignent du judaïsme en s'adressant aussi aux **païens**. La **Bible chrétienne** est formée de la Bible hébraïque et d'autres textes sacrés, comme les **Évangiles**.

### D'une religion interdite à la religion officielle

▶ Dès le Ier siècle, les **chrétiens** subissent des persécutions car ils **refusent le culte impérial**. Cependant, les conversions au christianisme continuent. En 313, avec **l'édit de Milan**, l'empereur Constantin permet aux chrétiens de pratiquer leur religion. En 380, le **christianisme** devient la **religion officielle de l'Empire**, puis les cultes païens sont interdits.

▶ **L'Église chrétienne s'organise.** Les communautés sont dirigées par un évêque dépendant d'un pape. À partir du IVe siècle, des conciles fixent les croyances. Les églises, les basiliques, se multiplient.

### VOCABULAIRE

**Chrétien :** personne qui suit l'enseignement de Jésus et qui a reçu le baptême.

**Païen :** polythéiste.

**Évangiles :** quatre livres qui racontent la vie de Jésus et délivrent son message.

**1** **Place les lettres notées sur la frise devant l'évènement auquel il correspond. (cours)**

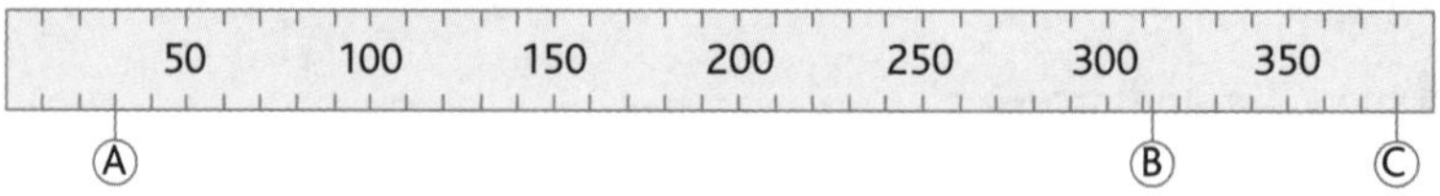


............ Édit de Milan

............ Christianisme, religion officielle

............ Mort de Jésus

**2** **Sur la pièce de monnaie, souligne le nom de l'empereur Constantin (Constantinus) et entoure un symbole chrétien. (doc.)**

**3** **Constantin est-il favorable à la religion chrétienne ? (doc. et cours)**

..............................................................................................

..............................................................................................

..............................................................................................

**DOC** **Monnaie de Constantin Ier**

Pièce d'argent frappée, 315, Staatliche Münzsammlung, Munich.

 CORRIGÉS → p. 125

# Les sources et les formes d'énergie

**1 Relie chaque source d'énergie à son rôle.**

a un moteur de voiture électrique •
b une éolienne •
c une centrale nucléaire •
d un muscle •

• 1. convertit de l'énergie chimique en énergie associée au mouvement
• 2. convertit de l'énergie nucléaire en énergie électrique
• 3. convertit de l'énergie associée au mouvement en énergie électrique
• 4. convertit de l'énergie électrique en énergie associée au mouvement

**2 Pour chaque photo, colorie en vert la case si c'est une source d'énergie renouvelable et en rouge si c'est une source d'énergie non renouvelable. (doc.)**

DOC

**Éolienne**

 ☐

**Usine de gaz**

 ☐

**Usine nucléaire (uranium)**

 ☐

**Bois**

 ☐

**Charbon**

 ☐

**Barrage**

 ☐

**Forage d'exploitation du pétrole**

 ☐

**Panneau solaire photovoltaïque**

 ☐

## LE COURS

### Les besoins énergétiques

Pour se déplacer, pour s'éclairer, pour se chauffer, pour vivre ou pour faire fonctionner des objets techniques, l'Homme a besoin d'énergie sous différentes formes.

### Les formes d'énergie

▶ L'énergie est une grandeur qui se mesure en **joule** (J). Elle permet de réaliser une action.

▶ L'énergie existe sous différentes formes :

– énergie **mécanique** (quand on pédale sur un vélo),

– énergie **thermique** (quand un radiateur chauffe),

– énergie **électrique** (quand on allume une ampoule),

– énergie **chimique** (quand on digère un aliment).

▶ L'énergie peut être **stockée** puis **convertie** pour être utilisée sous une autre forme.

### Les sources d'énergie

▶ Nous disposons de sources d'énergie **renouvelables** (eau, vent, soleil, géothermie, végétaux et déchets) et de sources d'énergie **non renouvelables** (gaz naturel, pétrole, charbon, uranium).

▶ Pour l'avenir de notre planète et de l'humanité, il faut limiter notre consommation d'énergie (transports en commun, isolation des logements...) et développer l'exploitation de sources d'énergies renouvelables (panneaux solaires, éoliennes...).

CORRIGÉS → p. 125

# Bilan de la séquence 10

**Ton score** /20

## Français

**1 Coche le verbe au présent du conditionnel qui convient.**

☐ réfléchiraient
☐ réfléchiront
☐ réfléchira

/1

**2 Conjugue le verbe** *venir* **au présent du conditionnel.**

je ......................
vous ......................

/1

**3 Barre l'intrus dans cette famille de mots.**

mer – marin – maritime – mercerie – marinière

/2

**4 Entoure le préfixe et le suffixe dans le mot suivant.**

S U R Q U A L I F I C A T I O N

/2

## Maths

**5 Complète le dessin en perspective du pavé droit ci-dessous.**

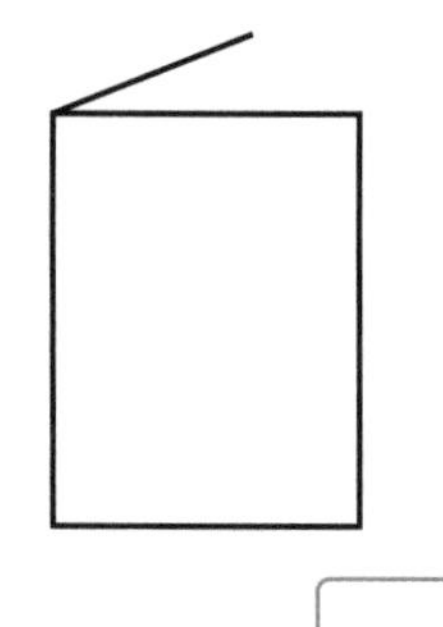

/2

**6 Sur les patrons suivants, colorie de la même couleur les carrés ou rectangles qui formeront des faces parallèles après pliage (tu as besoin de 3 couleurs différentes).**

Pavé droit Cube

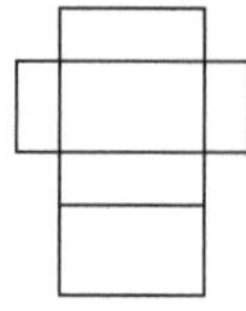

/2

**7 Complète le calcul du volume V du pavé droit ci-dessous.**

• Je convertis dans la même unité :
2 dm = ............ cm et
0,15 m = ............ cm
• J'écris les opérations en ligne :
V = ................................
• J'obtiens : V = ............ cm³

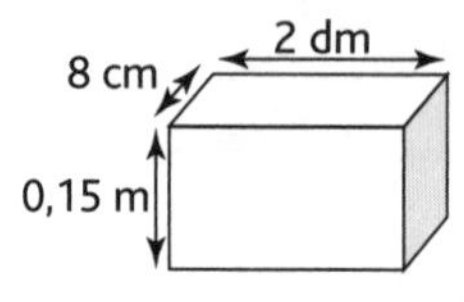


/2

## Anglais

**8 Complète ce texte en conjuguant les verbes entre parenthèses au prétérit.**

Dear Paul,
Thank you for your card. Yesterday, I (*go*) ............................ shopping with Mum. It (*rain* – v. régulier) ...................... all afternoon! So we went to a café and we (*have*) ......................... chocolate cake. That (*be*) ...................... nice! We (*not buy*) .................... much, but I (*enjoy* – v. régulier) ..................... the day!
Love from Sandra

/3

**9 Barre les expressions de temps qui ne se rapportent pas au passé.**

yesterday
today
tomorrow
three weeks ago

/1

## Histoire

**10 Le christianisme :**

☐ est un monothéisme.
☐ a été persécuté.
☐ n'a pas touché un grand nombre d'habitants de l'Empire romain.

/2

## Sciences et technologie

**11 Relie la source d'énergie à la forme d'exploitation qu'elle peut avoir.**

| | |
|---|---|
| a. vent • | • 1. centrale nucléaire |
| b. uranium • | • 2. panneaux solaires photovoltaïques |
| c. soleil • | • 3. éolienne |

/2

# Corrigés

# Corrigés

## SÉQUENCE 1 ➔ p. 5 à 14

(16 correct

### Teste-toi ➔ p. 5

1 a. 2 veille 3 prenons

4 736,128 ; 32,89 ; 6 580,007 ; 736,1284

5

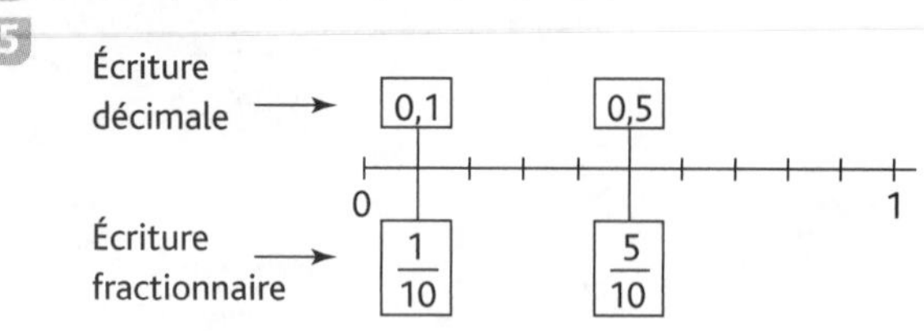


6 is

7

8 Âge de la pierre nouvelle.

9 Une ville très peuplée qui concentre les pouvoirs de commandement.

### Français Qu'est-ce qu'un Hobbit ? ➔ p. 6

1 **a)** Les Hobbits existent; ce sont de petits animaux. **Faux:** « Ce sont [...] des personnages de taille menue, à peu près de la moitié de la nôtre, plus petits donc que les nains barbus. » (l. 3 à 5) On comprend à cette description qu'il s'agit de personnages imaginaires, comparés aux nains barbus, tout aussi imaginaires.
**b)** Les Hobbits ont un pouvoir magique : ils sont capables de disparaitre. **Vrai :** « Il n'y a guère de magie chez eux que celle [...] de disparaître sans bruit et rapidement [...] » (l. 6 à 8).

**Attention à la tournure de la phrase !** Dans « il n'y a guère [...] que », l'auteur présente l'information de façon négative, on peut donc avoir l'impression qu'il n'y a pas de magie chez les Hobbits. En fait, « il n'y a guère que » est équivalent à « il y a seulement ». La phrase indique donc que les Hobbits ont pour seul pouvoir magique la capacité de disparaitre.

2 Le narrateur doit décrire le Hobbit car il s'agit d'une **espèce en voie de disparition**.
C'est ce qu'indique l'expression : « la raréfaction de leur espèce » (l. 2).

3 Le temps utilisé pour la description est le présent, ce qui donne à cette description une valeur intemporelle, universelle.

4

| 1er groupe | 2e groupe | 3e groupe et autres |
|---|---|---|
| pense, appellent, s'approchent, s'habillent, portent | garnit | est, a, peuvent, prennent |

5 À souligner : rencontre – peut – prend.

| Verbe 1 : rencontrer | Verbe 2 : pouvoir | Verbe 3 : prendre |
|---|---|---|
| je rencontre<br>tu rencontres<br>il rencontre<br>nous rencontrons<br>vous rencontrez<br>ils rencontrent | je peux<br>tu peux<br>il peut<br>nous pouvons<br>vous pouvez<br>ils peuvent | je prends<br>tu prends<br>il prend<br>nous prenons<br>vous prenez<br>ils prennent |

6 **a)** reste **b)** punissent **c)** peut

### Maths La grande fête du sport ➔ p. 8

1 **a)** La superficie du Brésil (en km²) est de 8 515 000 km² d'après le texte. En toutes lettres, ce nombre s'écrit : **huit-millions-cinq-cent-quinze-mille**.
La population de la Chine s'élève d'après le texte à 1 341 000 000 habitants, soit **un-milliard-trois-cent-quarante-et-un-millions**.
**b)** Le nombre total de téléspectateurs regardant les JO est d'environ deux milliards d'après le texte, soit **2 000 000 000**.
Le nombre de téléspectateurs français est d'environ vingt-millions : **20 000 000**.

2 **a)** 49,441 se lit 49 **unités** et 441 **millièmes**. 49,441 se lit aussi 49 **unités** 4 **dixièmes** 4 **centièmes** et 1 **millième**.
**b)** 49,7 = 49,700 donc **49,441 < 49,7** et O. Sosenka **a battu le record**.

**Attention :** un nombre peut avoir moins de décimales qu'un autre et lui être supérieur.
Pour comparer deux nombres décimaux qui ont la même partie entière, on peut ajouter des zéros à droite de la virgule pour que les deux nombres aient autant de décimales.

3 **a)** 2,325 contient 3 chiffres dans sa partie décimale : tu dois donc écrire 2,9 et 2,38 avec trois décimales. Tu obtiens : 2,9 = **2,900** et 2,38 = **2,380**.
**b)** Maintenant que ces trois nombres ont le même nombre de décimales, tu peux les comparer plus facilement.
**2,325 < 2,380 < 2,900**
Tu peux donc indiquer sur le podium :

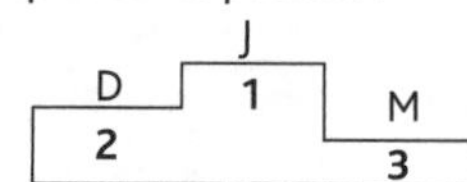


4 **a)** $6{,}21 = \mathbf{6} + \frac{\mathbf{2}}{10} + \frac{\mathbf{1}}{100} = \frac{\mathbf{621}}{100}$
6,21 peut se lire 6 unités 2 dixièmes et 1 centième.
$6{,}915 = \mathbf{6} + \frac{\mathbf{9}}{10} + \frac{\mathbf{1}}{100} + \frac{\mathbf{5}}{1000} = \frac{\mathbf{6\,915}}{1000}$
6,915 peut se lire 6 unités 9 dixièmes 1 centième et 5 millièmes.
**b)** $\frac{4\,750}{100} = 47 + \frac{\mathbf{5}}{10} + \frac{\mathbf{0}}{100} = \mathbf{47{,}5}$
$\frac{5\,552}{100} = 55 + \frac{\mathbf{5}}{10} + \frac{\mathbf{2}}{100} = \mathbf{55{,}52}$

**DÉFI VACANCES** Le nombre que tu cherches contient 5 chiffres. Les indices te parlent notamment de celui des dizaines et de celui des millièmes. Le plus petit chiffre du nombre cherché est donc le nombre des millièmes.

• Mon chiffre des dixièmes est 1, celui des dizaines est 4. Tu peux déjà écrire : **4 - , 1 - -**.

• Mon chiffre des centièmes est égal au chiffre des dixièmes + celui des dizaines, donc à 1 + 4 = 5. Tu peux compléter ton nombre mystère : **4 - , 1 5 -**.

• Le chiffre des unités est le double de celui des dizaines. Il est donc égal à 2 x 4 = 8. Tu peux à nouveau compléter : **4 8 , 1 5 -** .

• Le chiffre des millièmes est 9. Le nombre mystère est donc **4 8 , 1 5 9**.

**48,159 km en une heure :** record du monde féminin de l'heure établi par la cycliste française Jeannie Longo en 1996 !

## Anglais Paragliding in Malibu! p. 10

**1** Il faut colorier **les sept jours** de la semaine en jaune puisque l'école ouvre quotidiennement (tous les jours).
Ceci est indiqué dans les renseignements (information) : *Operates daily.*

**2** Il faut cocher la **case n° 2 : La leçon commence le matin et se termine l'après-midi**. En effet :
– les leçons commencent le matin : *Paragliding lessons start at approximately 11:00 AM. AM* indique qu'il s'agit du matin ;
– elles durent 5 heures : *Duration: approximately 5 hours* ou *Lesson ends approximately 5 hours after start time* ;
– la leçon débute à 11 heures du matin et dure 5 heures : elle se termine donc à 4 heures de l'après-midi.

**3** **a)** Il est **huit heures moins le quart**.

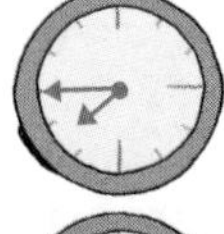

**b)** Il est **une heure**.

**c)** Il est **deux heures vingt**.

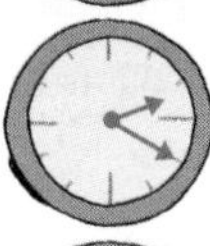

**d)** Il est **dix heures moins cinq**.

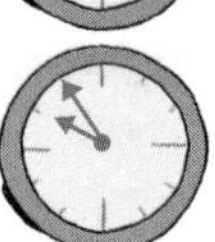

Lorsque l'on donne l'heure en anglais, n'oublie pas qu'on donne **d'abord les minutes puis les heures**.
Ainsi, lorsque tu lis *It's five to ten*, *five* n'indique pas l'heure, mais le nombre de minutes (*five*) avant dix heures (*ten*).

**4** **a) WHO**, qui signifie *qui*. **b) HOW**, qui signifie *comment*.

**5** **a)** Who is good at paragliding? **We are!**
**b)** Is it half past twelve? **Yes, it is.**
**c)** How are you? **I'm fine. Thank you.**
**d)** Are they beginners? **No, they aren't.**

**6** **Malibu is a city located in California.**

## Histoire La « révolution » néolithique p. 12

**1** **À entourer :** Pierre polie – Sédentaire – Agriculture – Artisans – Défrichements

**2** **a)** V ; **b)** F ; **c)** V ; **d)** F ; **e)** V.

## Géographie Les métropoles et leurs habitants p. 13

**1** **À relier : bidonville** → quartier fait avec des matériaux de récupération ; **banlieue** → espace de forte densité en continuité avec la ville centre ; **espace périurbain** → espace où une grande partie des habitants vont travailler dans la ville centre ou la banlieue ; **quartier des affaires** → quartier de gratte-ciels qui accueille les sièges sociaux des entreprises.

**2** **a)** et **b)**

## Bilan p. 14

**1** **b.** **2** Je vois, tu vois, il voit, nous voyons, vous voyez, ils voient **3** pouvons **4** **a)** travaillent ; **b)** voit

**5**

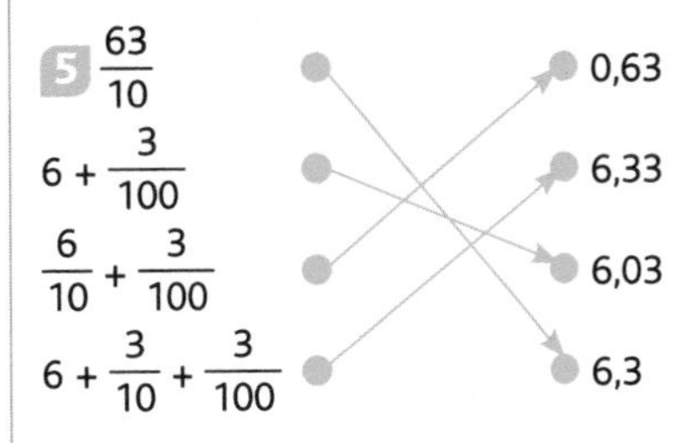


**6**

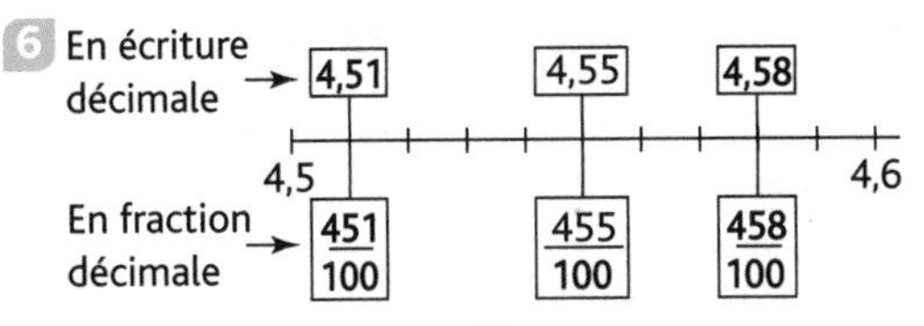


**7** is **8** am (ou 'm) – are **9** It's half past three.
**10** **a.** et **c.** **11** **a.** et **b.**

# Corrigés

## SÉQUENCE 2 → p. 15 à 24

### Teste-toi → p. 15

**1** **b.** **2** criiez **3** mangeait

**4** **a)** vrai ; **b)** vrai ; **c)** faux ; **d)** vrai **5** fig. 1 : OA ≠ OB ; fig. 2 : OA = OB ; fig. 3 : OA = OB ; fig. 4 : OA = OB.

**6** have got **7** **TEN** + **FIVE** = FIFTEEN

**8** L'Égypte

**9** 10 millions d'espèces

### Français Un paysage tout en chocolat → p. 16

**1** Le paysage du texte est étonnant car **il est en chocolat** : « Voyez ! [...] Tout cela, c'est du chocolat ! Chaque goutte de cette rivière est du chocolat fondu [...] » (l. 14-17).

**2** Dans ce texte, les personnages **visitent une chocolaterie** : tout le paysage qu'ils observent est « du chocolat de première qualité [...]. De quoi remplir toutes les baignoires du pays ! Et aussi toutes les piscines ! » (l. 17-19).

**3** M. Wonka est **un chocolatier** : il fait visiter sa chocolaterie aux cinq enfants et neuf adultes. On ne peut pas être sûr de cette information en lisant l'extrait. On sait seulement que M. Wonka fait visiter la chocolaterie, et qu'il en est fier : « N'est-ce pas magnifique ? » (l. 19-20).

**4** **a)** S'étaler, couler, se précipiter, pousser : ce sont tous des verbes du 1er groupe.

**b)**

| avait (l. 4) | voyait (l. 6) | était (l. 12) |
|---|---|---|
| j'avais<br>tu avais<br>il avait<br>nous avions<br>vous aviez<br>elles avaient | je voyais<br>tu voyais<br>il voyait<br>nous voyions<br>vous voyiez<br>elles voyaient | j'étais<br>tu étais<br>il était<br>nous étions<br>vous étiez<br>elles étaient |

**5** **a)** poussait ; **b)** obéissaient, guidaient ; **c)** prenait, passait

**6** *ouvrir* : ouverture ; *entrer* : entrée ; *voir* : vision/vue ; *précipiter* : précipitation ; *sautiller* : sautillement.

### Maths Londres, visite guidée → p. 18

**1** **a)** • La grande roue est un cercle de **centre** O.
• [OX] est **un rayon.**
• [ZX] est **un diamètre.**
• [OY] est **un rayon.**
**b)** Le rayon de la grande roue mesure **120 : 2 = 60 m.**
$p \approx 2 \times \mathbf{3{,}14} \times \mathbf{60}$ donc $p \approx \mathbf{376{,}8}$ m.

**2** Tu dois suivre le programme de construction avec précision, en respectant l'échelle donnée pour les longueurs. Trace les droites (PB), (PR) et (BR)... en prolongeant au-delà du point R. Utilise l'équerre pour tracer (GB) et aussi (GE) qui est perpendiculaire à (GB) :
(GB) ⊥ (PB) et (GB) ⊥ (GE) alors (GE)//(PB). Voici la figure que tu dois obtenir : le trésor se trouve sous le sapin !

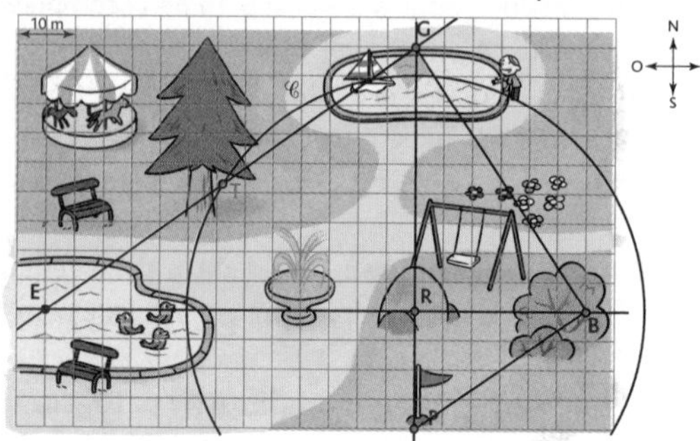


**DÉFI VACANCES** Tu dois choisir 3 points A, B, C au hasard sur le cercle, tracer le triangle ABC puis construire la médiatrice de chaque côté. Le centre est le point d'intersection des médiatrices ; il se trouve ainsi à égale distance des trois sommets.

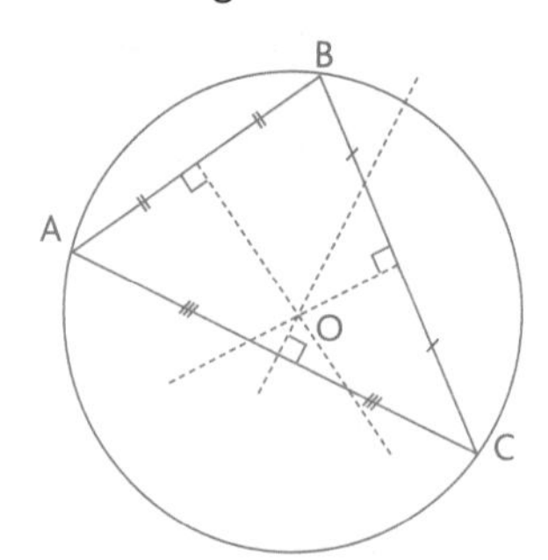


### Anglais At the Vet's → p. 20

**1** **a) This bug only lives 2 days.**
L'homme demande à Ziggy si son insecte peut passer avant pour la raison suivante : *He has a 48-hour life expectancy*. Son espérance de vie est de 48 heures, donc 2 jours.

**2** **À colorier : b) I'm worried. My fish isn't well.** Cette phrase signifie : Je suis inquiet, mon poisson ne va pas bien. C'est la seule phrase que l'homme peut dire à un vétérinaire. La phrase a. (*Hello! I want to buy a new fish!*) signifie : Bonjour ! Je veux acheter un nouveau poisson ! La phrase c. (*This fish is too small. Give me a big one!*) signifie : Ce poisson est trop petit. Donnez-m'en un gros ! Ce sont des phrases que l'homme pourrait dire à un vendeur dans une animalerie, mais pas à un vétérinaire.

**3** Il faut compléter : **TWELVE** et **EIGHTEEN**.
Tu peux vérifier en effectuant l'addition proposée : TEN (10) + **TWELVE** (12) + TWENTY (20) + **EIGHTEEN** (18) + FORTY (40) = A HUNDRED (100).

Les nombres entre 10 et 20 sont *ten* (10), *eleven* (11), *twelve* (12), *thirteen* (13), *fourteen* (14), *fifteen* (15), *sixteen* (16), *seventeen* (17), *eighteen* (18), *nineteen* (19) et *twenty* (20).

4 Il faut relier :
- **a et 2** car le poisson a une queue et des écailles.
- **b et 4** car le perroquet a une queue et des plumes de couleur.
- **c et 1** car le chat a une queue et de la fourrure douce.
- **d et 3** car la tortue a une queue et une carapace.

5 **a)** What **has** he got in his bag?
**b)** I **have** got two cats and a dog.
**c)** Rabbits **are** quiet and lovely animals.

6 Tim **has got** (*ou* **has**) **a butterfly, a hamster and a goldfish** but **he has not got** (*ou* **hasn't got** *ou* **doesn't have**) **a boa constrictor**.

## Histoire **Premiers États, premières écritures** ➔ p. 22

1 **a)** pharaon ; **b)** polythéiste ; **c)** pictogramme

2 **a)** 80 moutons mâles ; **b)** 67 peaux de chevreaux

3 Entourer : **a)** Écriture cunéiforme ; **b)** Mésopotamie ; **c)** Compter

## Sciences et technologie **Déterminer et classer les êtres vivants** ➔ p. 23

1 L'escargot de Bourgogne et l'escargot petit-gris n'appartiennent **pas** à la **même espèce** car ils ne peuvent pas se reproduire entre eux.

2 **L'espèce A** a le dessus du corps sombre et le ventre clair (tu dois suivre le chemin 1b). La base de sa queue est sombre et sa queue est prolongée par deux longues pointes fines (chemin 2a). Il s'agit d'une **hirondelle de cheminée. Espèce B : Martinet noir** (1a). **Espèce C : Hirondelle de fenêtre** (1b, puis 2b).

3 Les arthropodes peuvent avoir 6 pattes (cétoine, coccinelle), 8 pattes (araignée), entre 8 et 30 pattes (10 pour le crabe et la crevette) ou plus de 30 pattes (iule) soit **4 sous-groupes** qui sont respectivement les insectes, les arachnides, les crustacés et les myriapodes.

4 Les arthropodes peuvent avoir 2 antennes (cétoine, iule, coccinelle), 4 antennes (crabe, crevette) ou aucune antenne (araignée). C'est donc le **nombre d'antennes** que les élèves ont utilisé comme critère pour classer les arthropodes en 3 sous-groupes.

## Bilan ➔ p. 24

1 **b.** 2 J'allais, tu allais, elle allait, nous allions, vous alliez, elles allaient 3 Nous naviguions 4 **a)** préférais ; **b)** voulait

5 **a)** V ; **b)** V ; **c)** F 6 **a)** V – F – V – F ; **b)** $6 \times \pi$.

7 have ... got 8 She has got a dog but she **has not got** (*ou* **hasn't got**) a cat. 9 We have got **three** dogs and **eight** cats.

10 **Des États et l'écriture apparaissent** et **l'histoire commence.**

11 Une **espèce** rassemble, sous le même nom, des **êtres vivants** qui **se ressemblent beaucoup** et surtout qui **peuvent se reproduire entre eux**.

# Corrigés

## SÉQUENCE 3

→ p. 25 à 34

### Teste-toi → p. 25

1 **À barrer : a)** se trouvent ; **b)** grinces

2 raisonnable

3 idiot

4 0,3 + **0,7** = 1 ; 8,2 + **1,8** = 10 ; 10 − **2,5** = 7,5 ; 4,75 − **1,25** = 3,5

5 43,7 × 10 = **437** ; 43,7 × 100 = **4 370** ; 1,789 × 10 = **17,89** ; 1,789 × 100 = **178,9**

6 Take

7 this

8 **À entourer :** Sahara et Amazonie.

9 Sur le pistil de la fleur.

### Français Terreur au téléphone portable → p. 26

1 Balthazar est **un collégien**. Il a été interrogé en « classe » (l. 2) par la police et téléphone pendant la « récré » (l. 8).

2 Le téléphone affiche **une photo que Balthazar n'a jamais vue**. En voyant la photo, Balthazar est en effet sidéré, effrayé, et se demande : « Comment [...] cette image était-elle arrivée là ? » (l. 15-16). Cela montre clairement qu'il n'a jamais vu la photo.

3 Tania ne vint pas à l'école le lendemain. Le lundi matin, deux flics, un homme et une femme, entrèrent dans la classe pour demander aux élèves s'ils avaient des informations au sujet de leur camarade : elle avait disparu le jeudi de la semaine dernière sans laisser de traces ni donner de nouvelles à ses parents.

Sers-toi du genre et du nombre pour ne pas te tromper (« elle » remplace Tania, par exemple).

4 La phrase devient :
Ses camarades **tentèrent** de la joindre à la première récré, **tombèrent** encore une fois sur la boite vocale, se **traitèrent** de crétins.

5 Il plaça le téléphone à une quarantaine de centimètres de son visage. « Tu me vois ? – Ben ouais, j'connais déjà ta tronche, remarque. – La tienne aussi, j'la connais, mais j'aimerais quand même bien la voir. » Victoire : la frimousse de Tania apparut sur l'écran de Balthazar au bout de quelques secondes.

6 **a)** Il faut barrer le seul adjectif qui ne décrit pas la peur d'une personne : ~~étonné~~
**b)** Il faut barrer l'adjectif qui ne décrit pas le fait qu'une personne reprend confiance : ~~rassasié~~

L'intrus n'appartient pas au même champ lexical que les synonymes. Il ressemble dans l'écriture aux mots de la liste mais il n'a aucun rapport avec leur sens.

7 **a)** Les mots antonymes à relier sont :
inquiet – rassuré ; passionnant – ennuyeux ; calme – énervé.
**b)** Les mots synonymes à relier sont :
disparaitre – se volatiliser ; s'enfuir – s'échapper ; enlever – kidnapper.

### Maths Au parc de loisirs → p. 28

1

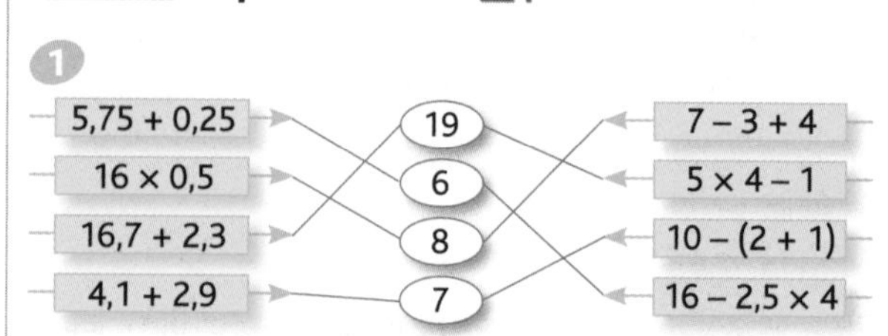


Pour les additions 5,75 + 0,25 et 16,7 + 2,3 ainsi que 4,1 + 2,9 tu remarques que la somme des parties décimales est 1. Pour calculer 16 x 0,5 tu peux te rappeler que « multiplier par 0,5 (ou un demi) revient à diviser par 2 ».

7 − 3 + 4 = 4 + 4 = 8 → on commence par l'opération **la plus à gauche**.

5 x 4 − 1 = 20 − 1 = 19 → la multiplication a **priorité** sur la soustraction.

10 − (2 + 1) = 10 − 3 = 7 → on calcule d'abord dans les **parenthèses**.

16 − 2,5 x 4 = 16 − 10 = 6 → la multiplication a **priorité** sur la soustraction, donc on l'effectue en premier, comme s'il y avait des parenthèses, 16 − 2,5 x 4 = 16 − (2,5 x 4).

2 **a)** 521 × 91 = 47 411, donc :

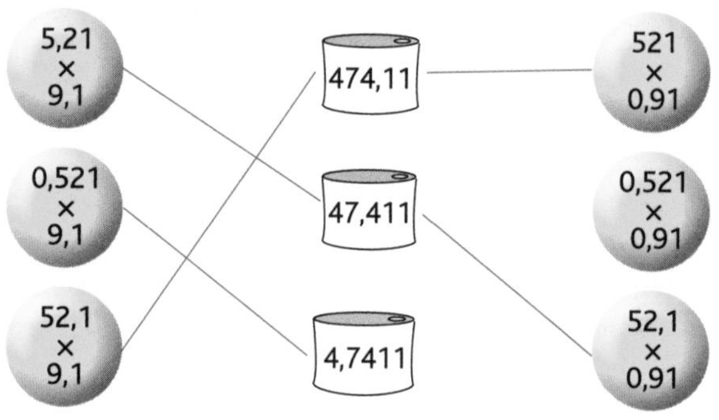


**b)** 0,521 × 0,91 = **0,474 11**. 0,521 a 3 décimales ; 0,91 en a 2. Le forain devait donc trouver la boite portant le résultat à 3 + 2 = 5 décimales.

3 **a)** La longueur de l'étape (en km) se calcule par une soustraction : 778,230 − 243,784.
Tu peux poser l'opération de la façon suivante :

|   | 7 | 7 | 8 | , | 2 | 3 | 0 |
|---|---|---|---|---|---|---|---|
| − | 2 | 4 | 3 | , | 7 | 8 | 4 |
|   | 5 | 3 | 4 | , | 4 | 4 | 6 |

La longueur de l'étape est donc **534,446 km.**

**b)** La somme payée pour le carburant (en €) se calcule par une multiplication : 69,4 × 0,75.

Tu peux poser la multiplication de la façon suivante :

```
      6 9,4
  ×     0,7 5
  ---------
      3 4 7 0
    4 8 5 8 .
  ---------
    5 2,0 5 0
```

Le carburant a donc couté **52,05 €**.

69,4 a un chiffre après la virgule et 0,75 a deux chiffres après la virgule, donc le résultat a trois (1 + 2) chiffres après la virgule.

**4** $\frac{4}{10} + \frac{9}{10} = \mathbf{0{,}4 + 0{,}9 = 1{,}3 = \frac{13}{10}}$

$\frac{2}{10} \times \frac{8}{10} = \mathbf{0{,}2 \times 0{,}8 = 0{,}16 = \frac{16}{100}}$

DÉFI VACANCES

```
        8 3,7
  ×       4,0 5
  -----------
        4 1 8 5
  + 3 3 4 8 . .
  -----------
    3 3 8,9 8 5
```

Commence par compléter les nombres dont tu es certain(e). Commence d'abord par effectuer le produit de 837 par 5, pour compléter la première ligne de résultat : tu obtiens 837 × 5 = 4 **1**8**5** et tu peux compléter la ligne avec les chiffres **1** et **5**. Tu peux ensuite compléter la dernière ligne de résultat avec les chiffres **8** et **5**.
Cherche ensuite le chiffre manquant dans la deuxième ligne. Tu sais que le produit de 7 par ce chiffre a pour chiffre des unités 8 : cela ne peut être que **4** × 7 = 28.
Il ne te reste plus qu'à effectuer le produit de 837 par 4 pour compléter la quatrième ligne.

## Anglais Vanilla Ice Cream Recipe p. 30

**1** **a) n° 1 :** Pour the milk and the vanilla into a saucepan and stir.
**b) n° 2 :** Scald the milk with the vanilla.
**c) n° 7 :** Leave to cool, stir in the cream and freeze.
**d) n° 3 :** In a bowl, beat and mix the egg yolks and the sugar.

**2** *Il faut barrer les ingrédients suivants :* **flour – butter – oil – water – margarine – nuts**.

**3** **a) Don't eat** sweets. They're bad for you!
**b) Drink** water. Water is excellent for your health!
**c) Eat** carrots. All vegetables are good!
**d) Don't drink** soda. Sugar is not good for you!

**4** **a) Don't open** the door!
**b) Cut** the potatoes **in two**.
**c) Fry** the eggs, please!

**5** **a) This** apple pie is really delicious!
**b)** And **these** cookies are very good too!
**c)** What's **that** over there?

## Géographie Habiter un espace à forte(s) contrainte(s) ou de grande biodiversité p. 32

**1** **À relier : froid** → zones polaires ; **chaud** → zones tropicales ; **forêt dense** → zone équatoriale.

**2** déserts froids ; iles ; déserts chauds ; forêt dense ; hautes montagnes

**3** Sahara : 4 ; Alpes : 3 ; Amazonie : 1 ; Sibérie : 2 ; La Réunion : 5

## Sciences et technologie Les plantes et leur reproduction p. 33

**1** Sur le doc. **1b** la légende à compléter est reliée à l'un des **ovules** situé à l'intérieur du pistil. La légende à compléter sur le doc. **1d** est reliée à une **graine** à l'intérieur du fruit.

Sur le doc. **1c** tu peux voir que le fruit de la tulipe a la forme du pistil puisqu'il se forme à partir de celui-ci.

**2** C'est **le vent** qui transporte les graines de l'érable dans un nouveau milieu car elles sont très légères et portent chacune une aile.

**3** 1re étape : dessin de droite ; 2e étape : dessin de gauche ; 3e étape : dessin du milieu.

Si tu as réussi, c'est que tu as bien observé : d'abord 3 feuilles de polypode, puis 4 et enfin 5 portées par un rhizome de plus en plus long, qui finit par se diviser.

## Bilan p. 34

**1** vrai **2** **Sophie** est ravie car **Jean** a apporté des roses. **Ces roses** sont magnifiques. **Tous les deux** sont passionnés par les fleurs et les plantes. **3** *À entourer :* **a)** accède ; **b)** cherche ; **c)** m'attend **4** visage et figure ; beauté et laideur

**5** 25,4 + 9,23 = **34,63**

**6** **a)** 25,4 – 9,23 = **16,17** ; **b)** 4,65 × 2,3 = **10,695**

**7** 5,542 × 100 → 554,2 ; 554,2 × 0,01 → 5,542 ; 55,42 × 0,001 → 0,05542 ; 55,42 × 1 000 → 55 420

**8** **a)** Remember ; **b)** Don't forget ; **c)** Buy ; **d)** Don't get lost

**9** Is **that** a fast food restaurant over there? **Those** hamburgers look so good!

**10** **a.** et **c.**

**11** La germination est le **développement** d'une nouvelle plante à partir d'une graine.

# Corrigés

## SÉQUENCE 4 → p. 35 à 44

### Teste-toi → p. 35

**1** Faux **2** **a.** **3** à Charlotte ; de bons souvenirs

**4** $\widehat{a} \approx 30°$ ; $\widehat{b} \approx 150°$ ; $\widehat{c} \approx 60°$ ; $\widehat{d} \approx 90°$

**5** ∅ **6** men

**7** Athènes

**8** Faux

### Français C'est pô juste ! → p. 36

**1** Le problème de Ramon est **qu'il écrit tout comme il entend** : « il écrit tout en phonétique » (vignette 2).

**2** Pour l'aider, **Titeuf lui souffle les réponses à l'oreille** : « Vestibule ! V… E… S… T… I… » (vignette 4) et **le laisse recopier sa feuille** : « Bon. Recopie ma feuille, ça ira plus vite ! » (vignette 6).

**3** **a)** *tout* est **COD** de *écrit*.
**b)** *à Ramon* est **COI** de *donne* car il complète le verbe *donne*, et ce groupe de mots contient une préposition. Le COD de la phrase est : *sa feuille*.
**c)** *leur copie* est **COD** de *récupèrent*.

Aide-toi des questions : « Quoi ? », « À qui ? », « De qui ? ». Quand un complément répond à une question précédée d'une préposition, il s'agit d'un COI.

**4** À Nadia = COI ; lui = COI ; son amour = COD.

**5** **a)** Dans « Titeuf voit Nadia arriver. », *Nadia* est **un nom propre**.
**b)** Dans « Il la suit des yeux. », *la* est **un pronom personnel**. Il remplace *Nadia*.
**c)** Dans « Il propose un bonbon à Nadia. », *à Nadia* est **un groupe prépositionnel**. Ce groupe de mots est composé d'un nom propre et d'une préposition.
**d)** Dans « Elle n'aime pas les bonbons. », *les bonbons* constituent **un groupe nominal**. Ce groupe de mots est composé d'un article et d'un nom commun.

**6** Ramon essayait d'écrire : « J'enfile mes vêtements. »

**7** Ramon aurait dû écrire : « J'**ai** mis mon nom. »

### Maths Beach Soccer → p. 38

**1**

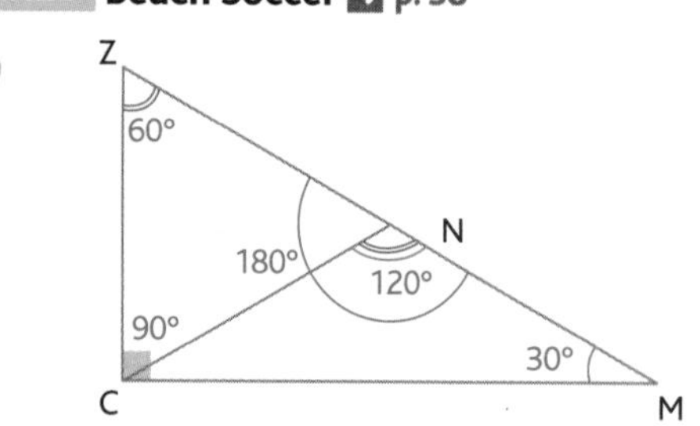


**a)** $\widehat{ZCM} \approx$ **90°** ; $\widehat{ZNM} \approx$ **180°** ; $\widehat{CNM} \approx$ **120°** ; $\widehat{CZN} \approx$ **60°** ; $\widehat{NMC} \approx$ **30°**

$\widehat{ZNM} = \widehat{ZNC} + \widehat{CNM}$

Pour trouver les mesures approximatives de ces angles, il te suffit de bien les observer et de faire preuve de bon sens.
Les droites (CZ) et (CM) semblent perpendiculaires, donc l'étiquette 90° correspond à $\widehat{ZCM}$, l'angle qu'elles forment.
Tu vois tout de suite que $\widehat{ZNM}$ est un angle plat, donc de 180°.
$\widehat{CNM}$ est le seul angle obtus (plus de 90°), seule l'étiquette 120° peut donc lui correspondre.
L'angle $\widehat{CZN}$ apparait plus grand que $\widehat{NMC}$, donc 60° correspond à $\widehat{CZN}$ et 30° à $\widehat{NMC}$.

**b)** $\widehat{NCM}$ est un angle **aigu**. $\widehat{MNC}$ est un angle **obtus**.
$\widehat{MCZ}$ est un angle **droit**. $\widehat{MNZ}$ est un angle **plat**.

**2**

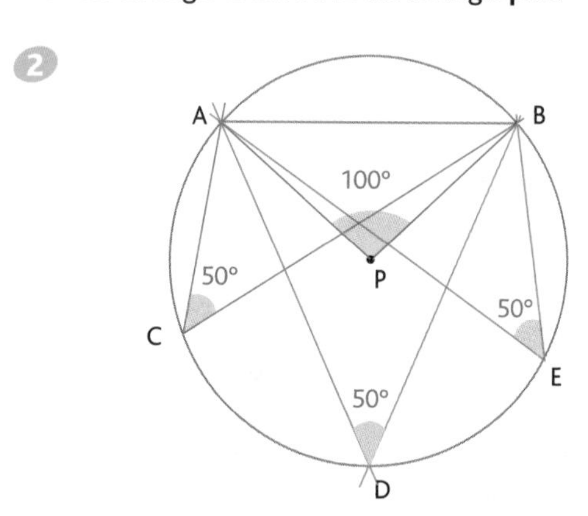


**a)** En mesurant au rapporteur, tu trouves :
$\widehat{ACB} \approx$ **50°** ; $\widehat{ADB} \approx$ **50°** ; $\widehat{AEB} \approx$ **50°**.

**b)** $\widehat{APB} \approx$ **100°**.

**c)** $\widehat{ACB}$, $\widehat{ADB}$ et $\widehat{AEB}$ sont égaux : **vrai**.
La mesure de $\widehat{APB}$ est le double de celle de $\widehat{ADB}$ : **vrai**, puisque tu as pu mesurer que $\widehat{APB} \approx 100°$ et $\widehat{ADB} \approx 50°$.
Il est plus facile de tirer du point P : **vrai**. En effet, l'angle de tir y est plus grand : le joueur a deux fois plus de chance de faire entrer le ballon dans le but qu'en étant placé au point D, au point C ou au point E.

**3** **a)**

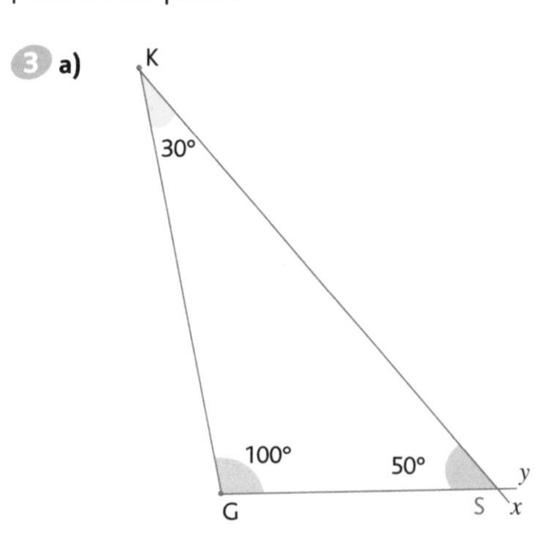


Pour retrouver la position du point S, trace deux demi-droites $[Kx)$ et $[Gy)$ telles que $\widehat{GKx} = 30°$ et $\widehat{KGy} = 100°$.
S est le point d'intersection de $[Kx)$ et $[Gy)$.

**b)** $\widehat{KSG}$ = **50°**
$\widehat{KSG} + \widehat{GKS} + \widehat{KGS}$ = **50 + 30 + 100 = 180°**

Dans un triangle, la somme des mesures des trois angles est toujours égale à 180°.

DÉFI VACANCES

**a)** Voici la figure que tu obtiens en suivant le programme de construction indiqué :

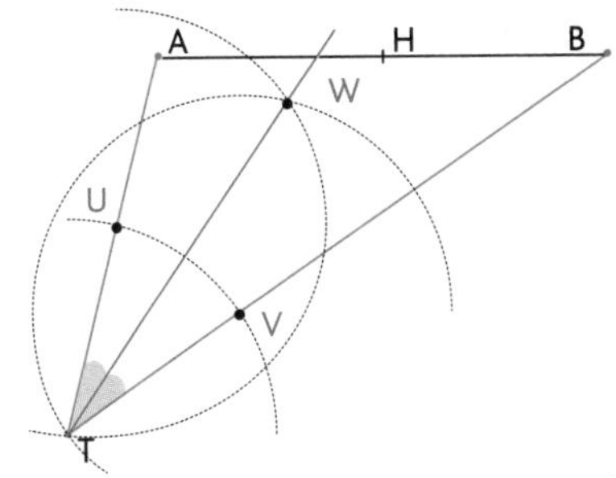


**b)** Vérifie ensuite au rapporteur que les angles $\widehat{WTA}$ et $\widehat{WTB}$ sont égaux : ils mesurent 21°.

Tu as tracé la « bissectrice » de l'angle $\widehat{ATB}$, c'est la demi-droite qui partage cet angle en deux angles de même mesure : c'est l'axe de symétrie de l'angle.

**c) Non**, le gardien n'est pas bien placé : « il ne couvre pas bien son côté droit » puisqu'il laisse au tireur un angle $\widehat{HTA}$ plus grand que $\widehat{HTB}$ sur son côté gauche.

## Anglais Huh? Yeah, I have an iPod! p. 40

**1** Tu dois cocher l'illustration **b**. Dans l'article de presse, on peut lire : *portable music players such as iPods and other MP3 players*... On parle bien de **lecteurs MP3**.

**2** Tu dois souligner la phrase **c. Some students who use MP3 players don't hear very well.** Certains étudiants qui utilisent des lecteurs MP3 n'entendent pas très bien.
Ton choix est guidé par deux expressions du texte : *hearing loss*, qui signifie « perte d'audition », et *have to turn up the volume of their television* qui signifie « sont obligés de monter le son de leur poste de télévision ».
Tu ne peux donc pas choisir la phrase a. (« [...] ne voient pas très bien ») ni la phrase b. (« [...] ne parlent pas très bien »).

**3** Tu dois recopier la première phrase du texte : **More than half of high school students report having at least one symptom of hearing loss associated with the use of portable music players.**

**4** **a) I like my little digital camera.**
**b) Dad has got two computers.**

**5** **a)** Is this **a** CD player?
Yes, it is, but it's **an** old one!
**b)** What are these? Are they **ø** old records?
**c)** Look! I've got **a** new mobile phone! Do you like it?
**d)** Well, **the** colours are nice but I think **the** screen is too small.

**6** **a) We are ø students.**
**b) These are your tickets.**
**c) These are my friends. / These are our friends.**
**d) Look at the photos of my mother (*ou* our mother)!**

## Histoire Le monde des cités grecques p. 42

**1** **1.** polythéisme – **2.** cité – **3.** Iliade – **4.** Delphes – **5.** citoyen

**2** les décisions sont prises par le plus grand nombre et non par une minorité ; <u>vote</u> – <u>en présentant nos idées</u> – <u>élisons les magistrats</u> – <u>les surveillons</u>

**3** Périclès parle des citoyens.

## Géographie Habiter un espace agricole de faible densité p. 43

**1**

| | Exploitation aux États-Unis | Village de Madagascar |
|---|---|---|
| Agriculture commerciale | × | |
| Petites exploitations | | × |
| Agriculture productiviste | × | |
| Agriculture vivrière | | × |
| Agriculture traditionnelle | | × |
| Grandes exploitations | × | |

**2** ▒ : 3 ; ▒ : 4 ; ▒ : 2 ; ▒ : 1

**3** **Doc. 1 :** pays riches ; **doc. 2 :** pays en développement

## Bilan p. 44

**1** **a)** **2** **a)** <u>de la beauté du ciel</u> ; **b)** <u>une photo</u> **3** **a)** COD ; **b)** COI
**4** **a)** groupe prépositionnel ; **b)** groupe nominal ; **c)** nom propre ; **d)** pronom personnel.
**5** $\widehat{xCy}$ = **40°** ; $\widehat{yCz}$ = **50°** ; $\widehat{yCt}$ = 50 + 90 = **140°** ; $\widehat{xCt}$ = **180°**
**6** $\widehat{xCt}$ est un angle **plat** ; $\widehat{yCz}$ est un angle **aigu** ; $\widehat{yCt}$ est un angle **obtus** ; $\widehat{zCt}$ est un angle **droit**.
**7** Look at **the** pictures of the zoo! They're beautiful! Can you see me on **the** photo? I've got **a** red T-shirt on! This is a picture of **an** alligator. Young alligators eat **Ø** insects.
**8** They are dancers.
**9** **a.** et **c.**
**10** **a.** et **c.**

# Corrigés

## SÉQUENCE 5 ➔ p. 45 à 54

### Teste-toi ➔ p. 45

**1** Faux **2** envièrent **3** dîtes

**4** 72 : 8 = **9** puisque 8 × **9** = 72 ; 54 : 9 = **6** puisque 9 × **6** = 54 ; 48 : 6 = **8** puisque 6 × **8** = 48 ; 28 : 7 = **4** puisque 7 × **4** = 28

**5** ...**4** ; **6** ; **8** ; **10** ; **12** ; **14** ; **16** ; **18**.

**6** **a)** can ; **b)** can't **7** **a)** mustn't ; **b)** must

**8** Une louve.

**9** « petite chambre ».

### Français Le miroir merveilleux ➔ p. 46

**1** **a)** La Belle est invitée au château de la Bête pour les vacances. **Faux :** elle est prisonnière de la Bête. Elle croit même qu'il lui reste « peu de temps [...] à vivre [...] » (l. 2-3).
**b)** La Belle craint que la Bête veuille la manger. **Vrai :** « elle croyait fermement que la Bête la mangerait le soir » (l. 3-4).
**c)** La Belle découvre un miroir magique où elle peut voir tout ce qu'elle souhaite. **Vrai :** elle souhaite voir son père et, juste après : « Quelle fut sa surprise, en jetant les yeux sur un grand miroir, d'y voir sa maison, où son père arrivait [...] » (l. 15-16).
**d)** La Belle et la Bête ne se connaissent pas encore. **Vrai :** la Belle pense d'abord être dévorée par la Bête, puis ne peut « s'empêcher de penser que la Bête était bien complaisante » (l. 18-19). On voit bien que la Belle tâche de découvrir les intentions de la Bête car elle ne l'a jamais rencontrée.

**2** La Bête reçoit la Belle **dans un magnifique château**. « Elle résolut de se promener et de visiter ce beau château » (l. 4). Elle « fut éblouie de la magnificence qui y régnait » (l. 7).

**3** L'ordre correct des phrases est : **3 – 6 – 2 – 4 – 1 – 7 – 5**.

Pour t'aider, sers-toi des liens logiques (il était une fois, un jour...) et des changements de temps (verbes à l'imparfait puis au passé simple). Les substituts nominaux et pronominaux sont aussi utiles : ils permettent de suivre l'évolution des personnages (il – le prince, la jeune fille – elle...).

**4** s'assit (s'assoir), se mit (se mettre), résolut (résoudre), avait (avoir), croyait (croire). Ces verbes ont une conjugaison irrégulière.

**5** **À entourer :** résolut, fut, ouvrit, fut, régnait, frappa, fut, pensa, ranima, ouvrit, vit, dit, fut, arrivait, put, était, avait.

**6** *Ouvrir* et *dire* ne se conjuguent pas comme le verbe *finir* (2ᵉ gr.).

| Verbes du 1er groupe | Verbes du 2e groupe (*-issons*) | Autres verbes |
|---|---|---|
| régner, frapper, penser, ranimer, arriver | × | résoudre, être, ouvrir, voir, dire, pouvoir, avoir |

**7** **a)** magnifique ; **b)** complaisance

### Maths L'esprit d'équipe ➔ p. 48

**1** **a)** 45 : 5 = **9** parce que 5 × **9** = 45.
Donc 45 joueurs forment **9** équipes de basket.
Comme 47 = 45 + 2, tu en déduis que 47 = (5 × **9**) + **2**.
Donc 47 joueurs forment **9** équipes de basket mais il restera **2** remplaçants.
**b)** 56 : 7 = **8** parce que 7 × **8** = 56.
Donc 56 joueurs forment **8** équipes de handball.
Comme 61 = 56 + 5, tu en déduis que 61 = (7 × **8**) + **5**.
Donc 61 joueurs forment **8** équipes de handball mais il restera **5** remplaçants.

**2**

```
  4 2 7 | 1 5
- 3 0   | 2 8
  1 2 7 |
- 1 2 0 |
      7 |
```

**a)** • En 42 combien de fois 15 ? **2** fois. **2** × 15 = **30**.
• De 30 pour aller à 42, il reste **12**.
• Tu abaisses le chiffre suivant, qui est 7.
• En **127**, combien de fois 15 ? **8** fois. **8** × 15 = **120**.
• De 120 pour aller à 127, il reste **7**.
• Il n'y a plus de chiffres à abaisser au dividende, donc la division euclidienne est terminée : le quotient approché à l'unité près est **28** et le reste est **7**.

Tu dois toujours vérifier que le reste est bien inférieur au diviseur. Si ce n'est pas le cas, tu t'es trompé(e) !
Pour bien diviser, il faut connaitre ses tables de multiplication. Ici, tu peux écrire la table de 15.

**b)** Conclusion : 427 = (**15** × **28**) + **7**. 427 joueurs formeront **28** équipes de 15 et il restera **7** remplaçants.

**3** La « masse » moyenne d'un joueur se calcule par 3 927,78 : 45 et s'exprimera en kg.

**a)**

```
3 9 2 7,7 8 | 4 5
  3 2 7     | 8 7,2 8 4
    1 2 7   |
      3 7 8 |
      1 8 0 |
          0 |
```

Le quotient approché de 3 927,78 par 45 à l'unité près est **87**.
• Continue la division en plaçant la **virgule** au quotient et abaisse le chiffre des dixièmes au dividende : c'est **7**.
• En 127 combien de fois 45 ? **2** fois.
• **2** × 45 = **90**. Pour aller à 127 par soustraction, il reste **37**.
• 87,2 est le quotient approché de 3 927,78 par 45 au **dixième** près.
**b)** Tu abaisses le chiffre des centièmes : en 378, il va 8 fois 45 et il reste 18. Puis tu abaisses le chiffre des millièmes : en 180, il va 4 fois 45 et il reste 0.
Le reste est **nul** donc **87,284** est le quotient exact de 3 927,78 par 45.
Conclusion : la masse moyenne d'un joueur est **87,284** kg.

DÉFI VACANCES

**a)** Je suis un nombre entier strictement compris entre 300 et 400 :

3 ☐ ☐

**b)** Je suis divisible par 5 : 3 ☐ 0 ou 3 ☐ 5

**c)** Je suis aussi divisible par 2 : 3 ☐ 0

**d)** Je suis aussi divisible par 4 :

3 2 0 ou 3 4 0 ou 3 6 0 ou 3 8 0

**e)** Je suis aussi divisible par 9.

Conclusion : je suis 3 6 0.

Tu peux vérifier que 360 = 9 × 40 et qu'il correspond bien aux cinq indices donnés par l'énoncé.

## Anglais Can dogs climb trees? p. 50

1 **a)** Can they jump? **Yes, they can.**
**b)** Can they speak English? **No, they can't!**
**c)** Can they sing? **No, they can't!**

2 **a)** This dog can climb very well → **wrong**.
Ce chien **ne grimpe pas très bien** (il est seulement en bas de l'arbre à la dernière image).
**b)** This dog thinks it can climb very well → **right**.
Il **pense** qu'il grimpe bien puisqu'à la dernière image, il dit : « I'm king of the world!! », ce qui signifie « Je suis le roi du monde !! ».

3 **a)** Nina: Mum, can I **swim please?** *ou* Mum, can I **go into the water** (ou **sea**)**?**
**b)** Mary: Mum, **can I have an ice cream, please?**
**c)** Tim: Mum, **can I play volleyball (with my friends), please?**

4 **a)** You **must fly!**
*Must* exprime **une obligation** : l'oisillon **doit** voler, c'est une **nécessité** pour lui pour survivre.
**b) You must hunt!**
Le lionceau **doit** chasser : c'est **indispensable** pour pouvoir se nourrir plus tard.
**c) You must swim!**
Le caneton **doit** nager, c'est aussi une **obligation** pour un canard !

5 A tennis player **must** have a racket.
Il faut choisir ***must*** car aucun joueur ne peut jouer sans raquette : c'est une **obligation**.
He **can** play with his left hand...
C'est une **possibilité** : si le joueur est gaucher, il est **autorisé** à jouer de la main gauche, mais ce n'est pas une obligation. Il faut donc choisir ***can***.
... but he **can't** have his dog on the court!
Il faut choisir *can't* car le joueur ne peut pas avoir son chien sur le court : les chiens sont interdits sur les courts de tennis.

## Histoire Rome, du mythe à l'histoire p. 52

1 Romulus – 753 avant J.-C. – Latins

2 a. Énée ; b. Rhéa Silvia ; c. Mars ; d. Romulus
Encadrer : Vénus, Mars.

3 Que leurs origines prestigieuses justifient leur pouvoir.

## Sciences et technologie Unité structurelle du vivant p. 53

1 Le point commun entre la paramécie et la peau d'ognon est la cellule.

2

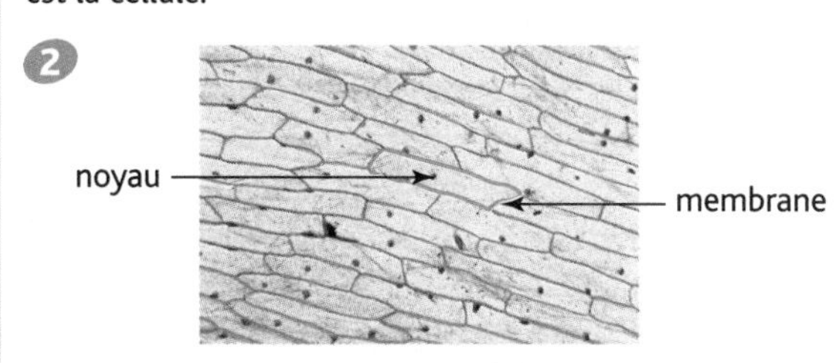


3 Tu vois sur le doc. 2 que la peau d'ognon est formée de nombreuses cellules : c'est un **être vivant pluricellulaire**. En revanche, la paramécie est constituée d'une seule cellule : c'est un **être vivant unicellulaire**.

4 **a)** Le microscope optique grossit **500 fois** (100 × 5 = 500).
**b)** La paramécie mesure 5,5 cm soit 55 mm sur le doc. 1. Elle est alors grossie 500 × par le microscope optique. En réalité elle est 500 × plus petite, soit 55 : 500 = **0,11 mm**.

## Bilan p. 54

1 prit 2 il vit, ils virent 3 **a)** tenta ; **b)** fut ; **c)** finit

4 **a)** 24 ; 810 **b)** 24 **c)** 810 ; 1235 **d)** 810.

5 **a)**

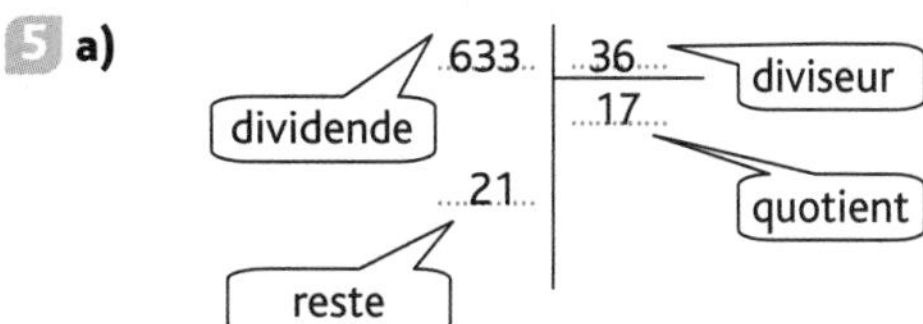


**Attention :** on ne peut pas avoir 17 en diviseur, 36 en quotient et 21 en reste car le reste 21 serait plus grand que le diviseur 17 !
Si on divise 633 par 17, on obtient 633 = (17 × 37) + 4

**b)**

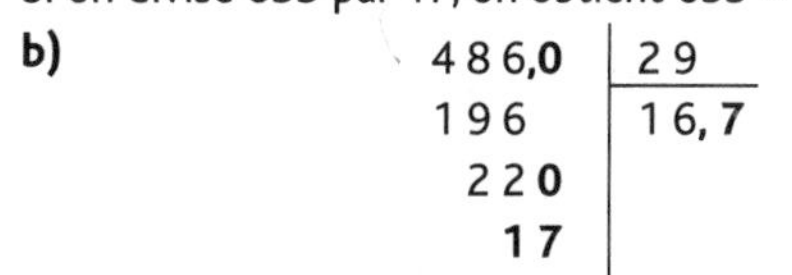


6 can't 7 Can 8 mustn't 9 Can.

10 Romulus

11 Tous les êtres vivants sont constitués de **cellules**.

# SÉQUENCE 6 p. 55 à 64

## Teste-toi p. 55

**1** Elles **sont allées** à la foire. **2** Le plateau de fruits est apporté par notre cuisinière sur un chariot. **3** **À barrer :** pêcher

**4**

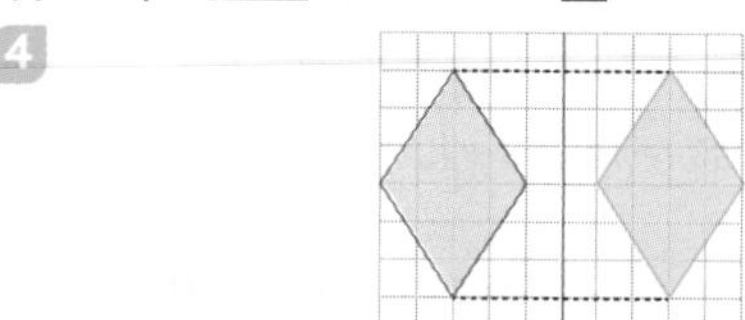

**5** **Fig. 1 :** non ; **fig. 2 :** oui ; **fig. 3 :** oui.

**6** Does **7** Je me lève toujours à 7 heures.

**8** Un homme sur deux.

**9** Les êtres vivants, les composantes minérales et les traces de l'activité humaine.

## Français Un drôle de menu ! p. 56

**1** Ici, un « menu "une étoile" » signifie qu'il est **si mauvais qu'il ne mérite qu'une étoile**. En effet, la description du menu n'est clairement pas celle d'un menu de grande qualité : tout est vidé de l'emballage et quasiment directement versé dans l'assiette. Le texte débute par la phrase « Pas génial, le dîner… » (l. 1).

**2** Le menu arrange Jonathan car **il n'a pas faim**. C'est ce que laisse entendre la phrase : « Je crois même que ça l'a arrangé, après le chocolat chaud de cet après-midi » (l. 3-4).

**3** **Ma** sœur n'aime pas **les** haricots. Elle mange parfois **quelques** légumes mais pas ceux-là. Elle supporte **la** tomate, seulement cuite, et adore par-dessus tout déguster **des** pommes de terre. Moi, j'aime tout tant que j'ai de **l'**appétit.

**4** Les verbes en rouge sont au présent, les verbes en bleu sont au passé composé.

**5** **a)** Mon frère **a préparé** une salade composée. Les ingrédients **ont formé** un drôle de plat. Alors il **est reparti** au marché.
**b)** Elle **est sortie** de la cuisine avec une bouteille de soda. Mais cette dernière **a explosé** à l'ouverture.

**6** **a)** Ces mots appartiennent au champ lexical **de la nourriture, du repas**.
**b)** Les mots « dîner » (l. 1) ; « cuisine », « tzatziki » (l. 11) ; « ail », « yaourt », « huile d'olive », « menthe » (l. 12) ; « petits pois » (l. 16) ; « casserole », « oignons », « persil », « beurre », « dessert » (l. 17), « crème de marron » (l. 18) ; « assiettes », « fromage blanc », « crème fraîche » (l. 19) ; « dîner » (l. 20) appartiennent également au champ lexical de la nourriture.

**7** Le mot à barrer est « **chaussure** ».

Tu peux trouver l'intrus aisément car c'est le seul mot qui n'appartient pas au vocabulaire lié à l'enquête.

## Maths Des vacances « nature » p. 58

**1** **a)** Tu dois cocher les images suivantes :

Tu ne dois pas cocher le lapin car ses oreilles ne sont pas symétriques.

**b)** Sur les figures 1 et 3, *d* n'est pas un axe de symétrie : en effet, si tu plies la feuille le long de *d*, les deux parties du dessin ne se superposent pas.
Sur les figures 2 et 4, *d* est un axe de symétrie : si tu plies la feuille le long de *d*, les deux parties du dessin se superposent parfaitement.

**2** **a)** et **b)** Voici la figure que tu obtiens en suivant le programme de construction indiqué :

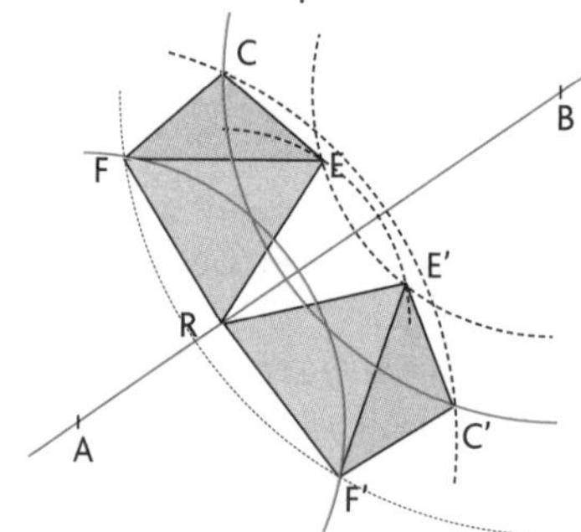


**c)** • Le symétrique de R **est R lui-même** : le point R est sur (AB), donc, par pliage le long de l'axe (AB), R ne « bouge » pas.

Ce résultat est vrai pour n'importe quel point de l'axe (AB). Tous les points de l'axe de symétrie sont « invariants ».

• Le symétrique du cerf-volant CERF est aussi un cerf-volant : **oui**, car deux figures symétriques sont superposables.
Si la figure de départ est un cerf-volant, le symétrique de cette figure reste donc un cerf-volant.

**3** **a)** L'ensemble des positions possibles de Vincent et Théo correspond à l'ensemble des points équidistants de M et de P, c'est-à-dire la médiatrice de [MP]. C'est cette médiatrice que tu dois construire.

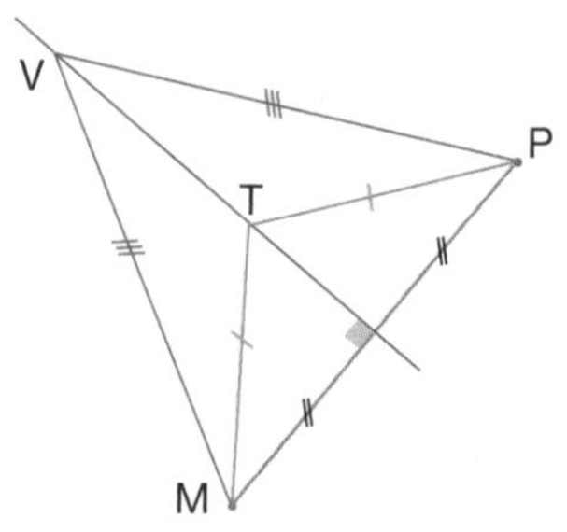


Figure 1

Vincent et Théo peuvent donc se trouver tous les deux au-dessus de [MP] ou tous les deux au-dessous, ou encore de part et d'autre de [MP], mais toujours sur la médiatrice [MP].

**b)** Puisque (VT) est la médiatrice de [MP], P est le symétrique de M par rapport à (VT). Tu obtiens donc la figure suivante :

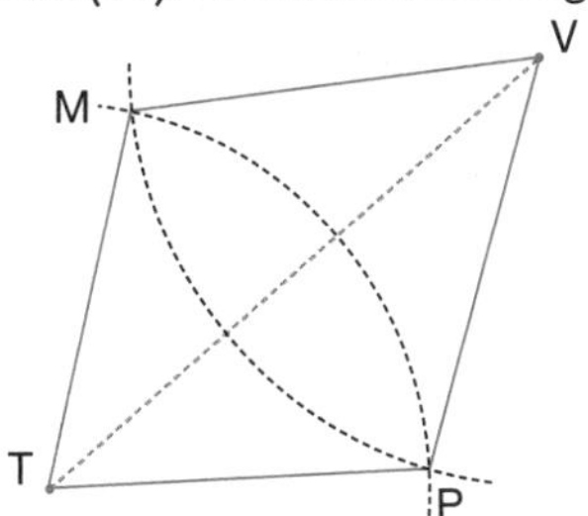

Figure 2

**c) (VT)** ou **(TV)** est la médiatrice du segment **[MP] ou [PM]**. Le point **P** est le symétrique de M par rapport à **(VT) ou (TV)**.

DÉFI VACANCES

## Anglais Surfing in Hawaii p. 60

**1 a)** Le moniteur du **portrait 3** est le seul qui pourrait enseigner dans cette école de surf : il porte une **planche de surf, n'a pas peur de l'eau** et il a l'air **aimable**.
**b) 1.** ***friendly* 2.** ***kind* 3.** ***patient***.
Ce sont trois adjectifs qui décrivent le moniteur dans le texte : sympathique, gentil et patient.

**2 a. wrong ; b. right**. La phrase **b.**, ***Surfing is a fun way to stay in shape*** (pratiquer le surf est une façon de rester en forme), est la phrase correcte. Tu peux en effet lire : *Do you want to learn a fun way to stay in shape?*

**3 a)** They don't **play in the snow**.
**b) They don't buy anoraks.**
**c) They don't go skiing.**
Il faut utiliser le **présent simple** puisqu'on évoque des actions que les habitants d'Hawaii ne font pas **habituellement**. De plus, chaque verbe doit être à la **forme négative** (*don't* + base verbale).

**4 a)** Does she like her instructor? **Oh yes, she does!**
**b)** How much doest it cost? **I don't remember exactly, but it's cheap!**
**c)** What time does the lesson start? **At 10 AM every day.**

**5 b) He plays tennis.**
**c) He doesn't go to the zoo.**
**d) He has breakfast.**

## Géographie Habiter les littoraux p. 62

**1 Dans l'ordre du texte :** 3, 4, 2, 1

**2** ■ : 2. quais ; ■ : 4. centre de Montréal ; ■ : 1. fleuve ; ■ : 3. zone industrielle.

**3** Ce port est une ZIP car il y a des quais (port) et une zone industrielle.

## Sciences et technologie La matière dans tous ses états p. 63

**1** Les trois composantes de notre environnement sont les **êtres vivants**, les **éléments minéraux** et les **traces de l'activité humaine**.

**2**

| Composantes de l'environnement | Éléments présents dans l'environnement photographié |
|---|---|
| Êtres vivants | être humain – herbe – arbres |
| Éléments minéraux | air – eau de la fontaine – neige – rochers – montagnes |
| Éléments fabriqués par l'Homme | maison – église – fontaine |

**3** Les déchets qui ne sont pas recyclables : les sacs plastique, les petits emballages (pots de yaourt, de crème fraiche), les barquettes en polystyrène, les emballages contenant des restes (également : les seringues, les papiers salis).

## Bilan p. 64

**1** J'ai pris, nous avons pris **2 a)** offert ; **b)** allée **3** Elle a toujours **aimé** les roses plus que toutes les autres fleurs. Ses sœurs n'ont jamais **compris** cette passion pour les roses. Ces fleurs sont **cueillies** dans le jardin durant tout l'été.
**4 À barrer :** bouteille
**5**

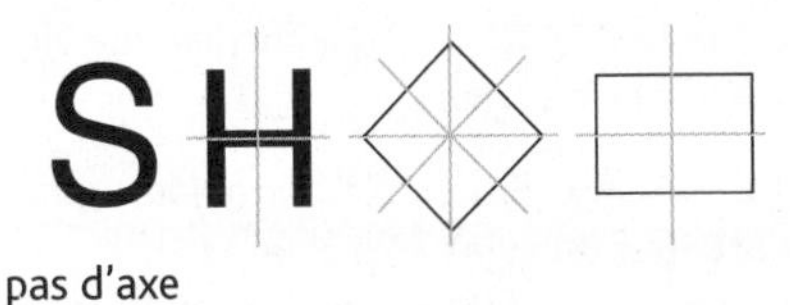


pas d'axe de symétrie — 2 — 4 — 2

**6** I **always** get up at 9 o'clock. We **often** play beach volleyball. We **sometimes** go to the city to visit a museum. I **never** go to sleep before 9 pm. **7** Hello, Mum and Dad! Every day I **get up** at 9 and **have** breakfast with my friends. We **don't go** to the beach in the morning, it's too cold! My friends **play** football, but I never do, I **don't like** running! Every afternoon, the instructor **comes** to the camp. He **is** so good at sailing and surfing!

**8 a.** et **b.**

**9** Le verre.

# Corrigés

## SÉQUENCE 7 → p. 65 à 74

### Teste-toi → p. 65

1 Vrai 2 jolies 3 bleu ciel

4 Dénominateur : **11** ; numérateur : **7**.

5 $\frac{1}{3}$ de 6 = **2**

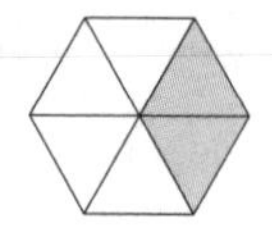

6 **a)** Ken'**s** ; **b)** cousins**'**. 7 her

8 Yahvé. 9 L'Asie.

### Français La fable inversée → p. 66

1 « **Le bœuf veut être aussi petit que la grenouille** » est la phrase qui résume le mieux la fable. En effet, le bœuf « s'émerveille » (v. 7) en regardant la grenouille ; il est « envieux » (v. 13) et cherche à « égaler en petitesse l'animal » (v. 14).

2 Cette fable fait écho à « **La grenouille qui veut se faire aussi grosse que le bœuf** ».

Dans cette fable, La Fontaine raconte l'inverse ! C'est pour cela que Charles Clerc intitule son recueil *Fables à l'envers*.

3 La morale de la fable se trouve à la fin du texte :
**« Tout lourdaud veut être un danseur,**
**Tout pesant esprit fait des grâces. »**

On reconnait la morale car elle est au présent de vérité générale et les individus dont il est question ne sont pas particuliers mais généraux.

4 Il faut entourer :
À cette heure caniculaire ; fine taille ; ce sincère témoin.

Ne te fie pas à la place de l'adjectif par rapport au nom : l'adjectif peut se trouver avant ou après le nom qu'il qualifie.

5 **a)** ***Envieux*** s'accorde avec ***il***, c'est-à-dire ***le bœuf***. Cet adjectif est séparé du nom qu'il qualifie par une virgule.
**b)** ***Légers*** s'accorde avec ***gens***.

6 **a)** « Les oiseaux rêvent d'être toujours plus légers » (*légers* est **attribut du sujet** « les oiseaux »).
**b)** « Une légère brise soufflait » (*légère* est **épithète**).
**c)** « La montgolfière légère montait majestueusement dans le ciel » (*légère* est **épithète**).

7 **a)** La petit**e** grenouille agil**e** et rusé**e** saute d'un nénufar à l'autre.
**b)** Attentif**s**, les animaux regardent la bête robust**e** retenir sa respiration et devenir de plus en plus fin**e** et svelte.

8 **Les animaux sont** la principale source d'inspiration des auteurs de fables : **les petits animaux** représent**ent** les faible**s**, **les animaux** puissant**s** **sont** le**s** dominant**s**.

9 Les sauterelles **agiles**. La grenouille **grasse**. Le crapaud **crasseux**.

### Maths Les fêtes de la mer → p. 68

1 **a)** Voici la fraction que représente une part de gâteau pour chacun des gâteaux cités :

| 1 part représente ... | $\frac{1}{2}$ | $\frac{1}{3}$ | $\frac{1}{4}$ | $\frac{1}{6}$ | $\frac{1}{8}$ | $\frac{1}{9}$ |
|---|---|---|---|---|---|---|
| Gâteau n° 1 | | | X | | | |
| Gâteau n° 2 | | | | X | | |
| Gâteau n° 3 | | | X | | | |
| Gâteau n° 4 | | | | X | | |
| Gâteau n° 5 | | | | | X | |

Compte le nombre total de parts de chaque gâteau : c'est le dénominateur de la fraction cherchée.

**b)**

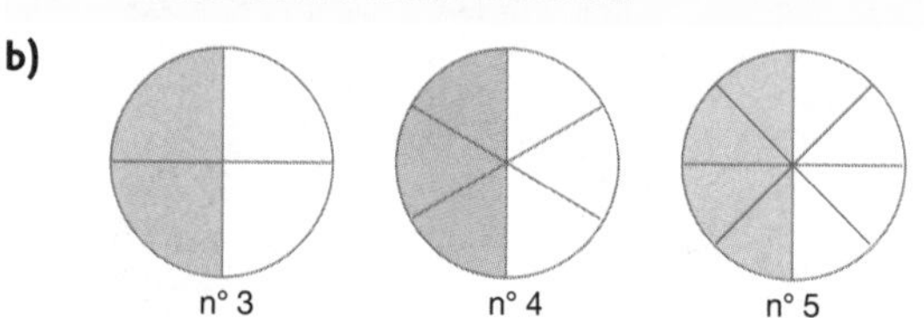


Xavier a pris : $\frac{2}{4} = \frac{2 \times 1}{2 \times 2} = \frac{1}{2}$ du gâteau n° 3.

Yaël a pris : $\frac{3}{6} = \frac{3 \times 1}{3 \times 2} = \frac{1}{2}$ du gâteau n° 4.

Zoé a pris $\frac{4}{8} = \frac{4 \times 1}{4 \times 2} = \frac{1}{2}$ du gâteau n° 5.

La fraction indique le rapport $\frac{\text{nombre de parts prises}}{\text{nombre total de parts}}$.

**c)** Conclusion : Xavier, Yaël et Zoé ont mangé chacun **la moitié**, donc $\frac{1}{2}$ de leur gâteau.

2 **a)** Pour partager l'octogone en huit triangles superposables, il suffit de tracer les 8 segments reliant son centre à chacun de ses sommets.
**b)** Voici ce que représentent trois huitièmes de la tarte :

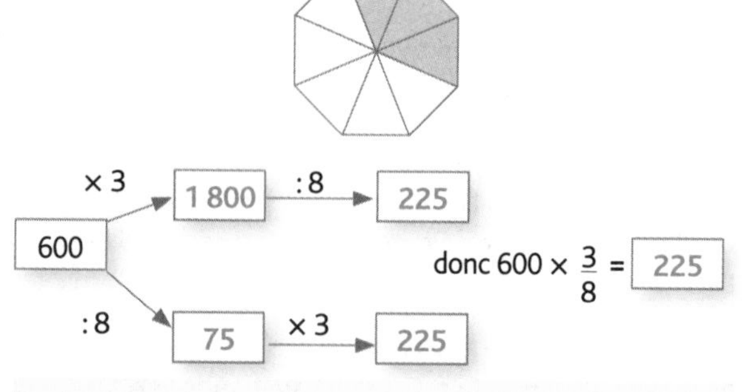


Tu observes que le résultat est identique, que tu commences par effectuer la division ou la multiplication.

Conclusion : ce gourmand a mangé **225** g de tarte.

3 **a)** Le nombre de fusées jaunes se calcule par :
$$\mathbf{243 \times \frac{1}{3} = \frac{243}{3} = 81.}$$

**b)** Le nombre de fusées rouges se calcule par :

$243 \times \frac{1}{9} = \frac{243}{9} = 27$.

Remarque : le nombre de fusées bleues et vertes se calcule par $243 - (81 + 27) = 243 - 108 = 135$.

DÉFI VACANCES

**a)** $\frac{1}{9} = 0{,}111...$ ; $\frac{2}{9} = 0{,}222...$ ;

**b)** $0{,}333... = \frac{3}{9}$ ; $0{,}444... = \frac{4}{9}$ ;

$0{,}555... = \frac{5}{9}$ ; $1{,}111... = \frac{10}{9}$

Tu peux observer que $1{,}111... = 1 + 0{,}111...$

Or $1 = \frac{9}{9}$ et $0{,}111... = \frac{1}{9}$ donc $1{,}111... = \frac{9}{9} + \frac{1}{9} = \frac{10}{9}$.

## Anglais The Simpsons p. 70

**1 a)** Homer : tu dois laisser sa **chemise en blanc** (*his shirt is white*) et colorier son **pantalon en bleu** (*his trousers are blue*).
**b)** Bart : colorie son **T-shirt en rouge** (*his T-shirt is red*), son **short en bleu** (*his shorts are blue*) et ses **chaussures en bleu** (*his shoes are blue*).
**c)** Lisa : sa **robe est rouge** (*her dress is red*), son **collier est blanc** (*her necklace is white*) et ses **chaussures sont rouges** (*her shoes are red*).
**d)** Tous les personnages ont **la peau jaune** (*their skin is yellow*) et les **yeux blancs** (*their eyes are white*).

**2 a) It's Lisa's necklace** (c'est le collier de Lisa).
Seule Lisa porte un collier : c'est donc forcément le sien. Tu peux aussi répondre : **It's Lisa's** (c'est celui de Lisa ; le mot *necklace* est alors sous-entendu).
**b) It's Bart's T-shirt** (c'est le T-shirt de Bart) ou **It's Bart's** (c'est celui de Bart).
**Bart** est le seul à porter un T-shirt : Homer porte une chemise et Lisa, une robe.
**c) They're Lisa's shoes** (ce sont les chaussures de Lisa) ou **They're Lisa's** (ce sont celles de Lisa). C'est Lisa qui porte des chaussures rouges : celles de Bart sont bleues. Tu dois employer **they're** (ou **they are**) car il s'agit d'un nom pluriel.

**3 a) Whose socks are they?** Le verbe *are* est au **pluriel** puisque *socks* est un pluriel. ***They*** (3e personne du pluriel) reprend le mot *socks*.
**b) Whose skirt is it?**
**c) Whose trousers are they?**
Attention : en anglais **trousers** (pantalon) est un nom **pluriel**, il est donc suivi de **are they** dans la question.

**4 a) Lisa** (*her* indique que le possesseur est féminin).
**b) Bart** (*his* indique que le possesseur est masculin).
**c) Bart**.
**d) Lisa et Bart** (*their* indique qu'il y a plusieurs possesseurs).

**5 a)** Are the kids' boots dirty?
Tu dois seulement ajouter ' car **kids** est un nom **pluriel et se termine par « s »**.
**b)** It's James**'s** hat.
Tu dois ajouter **'s** car James se termine par un « s » mais **ce n'est pas un nom pluriel**.

## Histoire La naissance du monothéisme juif (Ier millénaire avant J.-C.) p. 72

**1**

| Avant le VIe siècle avant J.-C. | Après 70 |
| --- | --- |
| 1, 4, 7 | 2, 3, 5, 6, 8 |

**2**

**3** Dieu aurait récompensé Abraham car il lui aurait obéi.

## Géographie La répartition de la population mondiale et ses dynamiques p. 73

**1 À entourer :** Afrique, ville, littoral.

**2 À relier :** France → Europe ; États-Unis → Nord-Est américain ; Inde → Asie du Sud ; Chine → Asie du Sud-Est ; Brésil → Sud-Est du Brésil ; Nigeria → Golfe de Guinée

**3** La population est concentrée dans les foyers de peuplement, dans les villes, sur les littoraux et près des fleuves. De vastes espaces sont des déserts humains.

## Bilan p. 74

**1 a)** valeureux ; **b)** méchante ; **c)** magiques **2 a)** intrépide ; **b)** Pressées **3** roses

**4** Fig. 1 : $\frac{1}{4}$ ; fig. 2 : $\frac{5}{8}$ ; fig. 3 : $\frac{4}{8} = \frac{1}{2}$ ; fig. 4 : $\frac{3}{8}$.

**5 a)** $\frac{2}{3} + \frac{1}{3} = \frac{\mathbf{3}}{\mathbf{3}} = \mathbf{1}$. **b)** $\frac{4}{5} \times \mathbf{5} = 4$. **c)** $14 \times \frac{1}{2} = \frac{\mathbf{14}}{\mathbf{2}} = \mathbf{7}$.

**d)** $\frac{25}{36} \times 36 = \mathbf{25}$.

**6** Are these the children**'s** skates? **7 a)** her ; **b)** my ; **c)** their

**8** **a.** et **b.**

**9** **a.** et **c.**

# Corrigés

## SÉQUENCE 8 → p. 75 à 84

### Teste-toi → p. 75

**1** pourra **2** j'irai, nous irons **3** En fin de matinée, deux vétérinaires discutent dans leur bureau.

**4**

| | les côtés opposés sont parallèles | les côtés consécutifs sont perpendiculaires | les côtés consécutifs ont la même longueur |
|---|---|---|---|
| Dans un parallélogramme... | × | | |
| Dans un rectangle... | × | × | |
| Dans un losange... | × | | × |
| Dans un carré... | × | × | × |

**5** are playing **6** **b.**

**7** Thermes et forum.

**8** Les végétaux annuels.

### Français Le marchand de visages → p. 76

**1** La scène se déroule dans **un magasin**. Le personnage masculin est un vendeur, il demande à sa cliente : « que désirez-vous ? » (l. 2) et donne des indications de prix : « Rien n'est plus cher. » (l. 17).

**2** La personne qui souhaite un nouveau visage est **une femme**. Le vendeur lui dit : « Bonjour, mademoiselle » (l. 2).

**3** Ce texte est **absurde** : il traite d'un sujet totalement irréaliste et remet en cause l'ordre naturel des choses. Dans le monde des personnages du texte, les individus peuvent décider d'aller dans un magasin pour « acheter un visage » (l. 3), et peuvent se faire un visage avec un œil, deux nez : « un nez en trompette, un autre en colimaçon avec escalier » (l. 12-13). Ce texte absurde n'est cependant pas dénué de sens; il exagère un trait existant réellement dans notre société : les gens n'ont-ils pas toujours envie d'être différents, de changer leur physique ou leur condition ?

**4** **a)** Demain, elle fera ses achats à la boutique en raison des promotions.

**b)**

| Fonction | Complément circonstanciel |
|---|---|
| Cause | en raison des promotions |
| Temps | Demain |
| Lieu | à la boutique |

Pour trouver de quel complément circonstanciel il s'agit, tu peux chercher quel groupe de mots répond aux questions « où ? » (lieu) ; « quand ? » (temps) ; « pourquoi ? » (cause).

**5** Il travaille par obligation. Il s'agit d'un complément circonstanciel indiquant la cause.

Il s'agite sur place. Il s'agit d'un complément circonstanciel indiquant le lieu.

Les oreilles seront prêtes dans une heure. Il s'agit d'un complément circonstanciel indiquant le temps.

Dans les deux phrases non cochées, tous les éléments de la phrase doivent demeurer à leur place ; on ne peut pas supprimer ou déplacer l'attribut « original », ni le COD « différentes bouches ».

**6** À quel poste **serez**-vous une fois devenus adultes ? Moi, dans cinq ans, je **serai** pompier et ma sœur **sera** médecin. Nous **serons** très heureux d'exercer ces métiers. Nous **logerons** à Marseille. Je **logerai** dans un petit appartement avec un balcon et elle **logera** dans une petite maison avec jardin. Et vous, où **logerez**-vous ?

**7** À barrer : ~~voudrais~~ – ~~voulez~~ – ~~désirait~~ – ~~perdez~~ – ~~vais~~

**8** Je me lèverai, je me doucherai et je déjeunerai ; puis je m'habillerai, je sortirai et j'attendrai le bus.

### Maths Voiles et cerfs-volants → p. 78

**1** **a)** et **b)** voir figures ci-dessous

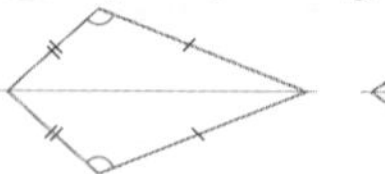
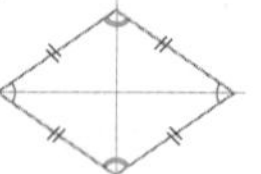

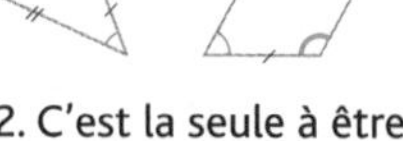

**c)** Tu dois cocher uniquement la figure 2. C'est la seule à être un losange. En effet, elle a quatre côtés de même longueur.

**d)** La figure 4 est un **parallélogramme** : ses côtés opposés sont parallèles.

Remarque aussi que ses côtés opposés sont égaux.

**2** **a)** VO = **OI** = **IL** = VL.

Ses diagonales se coupent en K qui est **leur milieu.**

KO = KI = **KL** = **KV** = 3 cm.

Aire du triangle VKO = (VK × **KO**) : **2** = (3 × **3**) : **2** = **4,5** cm².

Aire du quadrilatère VOIL = **4,5** × **4** = **18** cm².

Tu peux aussi compter les carreaux qui recouvrent VKO : 3 entiers et 3 demis = 3 + 3 × 0,5 = 3 + 1,5 = 4,5.

**b)**

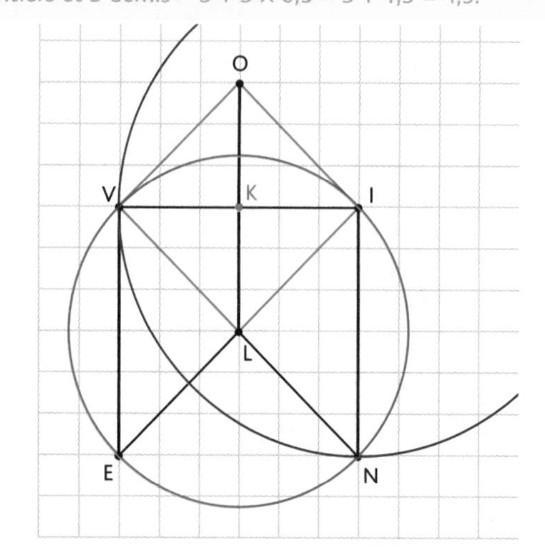

Vérifie sur la figure ci-dessus que tu as correctement suivi le programme de construction.
**c)** LN = **OI** ; IN = **OL.** Donc LOIN est un **parallélogramme**.
(OL) // (**IN**) et (OI) // (**LN**).
**d)** Vérifie sur la figure précédente. Il faut construire la parallèle à (OL) passant par V et la parallèle à (OV) passant par L.

Les côtés opposés de LOIN sont parallèles et de même longueur.

**DÉFI VACANCES**

**a)** Voici comment tu peux construire trois triangles avec sept allumettes et cinq triangles avec neuf allumettes :

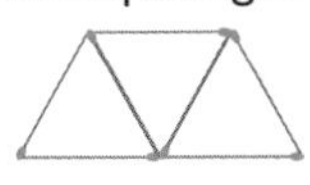

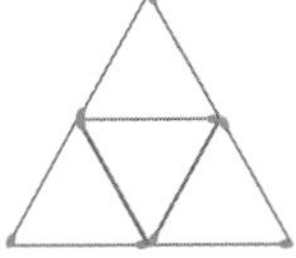

**b)** Avec six allumettes, tu peux construire une pyramide dont les quatre faces sont des triangles équilatéraux (on l'appelle aussi « tétraèdre régulier »).

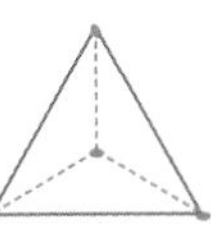

## Anglais **Calvin's Dance** p. 80

**1 a)** Calvin et Hobbes s'amusent : **right.**
**b)** Les parents de Calvin dansent également : **wrong.**
**c)** La scène se déroule le matin : **wrong.**

**2 a)** He/she is wearing sunglasses. → **Calvin**
**b)** He/she is angry. → **Calvin's father**
**c)** He/she is dancing. → **Calvin** ou **Hobbes**
**d)** He/she is sitting up in bed. → **Calvin's mother**

**3 a)** Is Karen getting dressed? No, she **is brushing** her hair.
**b)** Is Paul watching television? No, he **is shaving**.
**c)** Are the children drinking tea? No, they **are going** to school.

**4 a) I'm giving the dog a bath.**
**b) I'm cleaning the bird's cage.**
**c) I'm tidying my bedroom.**

Dans tout l'exercice, tu dois employer le **présent *be + -ing*** qui aura ici une **valeur de futur**. En effet, chacune de ces actions futures est **déjà planifiée**.

**5 a)** For breakfast he always **has** cereal and milk.
**b)** Listen! She **is singing** in the bathroom.
**c)** I can't come tomorrow. I **am doing** the housework.

## Histoire **Conquêtes, paix romaine et romanisation** p. 82

**1 À relier :** Urbs → ville de Rome ; Empire romain → territoire dominé par les Romains autour de la Méditerranée et en Europe ; Forum → place centrale d'une ville romaine.

**2**

**3** Ils vivaient comme les Romains (romanisation).

## Sciences et technologie **Modification du peuplement selon les saisons** p. 83

**1** Le coquelicot passe l'hiver sous la forme d'une **graine**. C'est une **plante annuelle**.

**2** La jonquille passe l'hiver sous la forme d'un **bulbe**. C'est une **plante vivace**.

**3 a)** Entre A et B, la **température** est testée car c'est le seul facteur qui varie.
**b)** Entre A et C, l'**éclairement** est testé car c'est le seul facteur qui varie.
**c)** Dans la boite D, **le coton doit être sec**. Cette boite doit être placée à **20 °C**, température à laquelle les graines germent. La boite peut être placée **dans l'obscurité ou à la lumière** car ce facteur n'influence pas la germination.
**d)** Si la boite D est placée **dans l'obscurité**, tu dois la comparer avec la **boite A**. Si elle est placée à **la lumière**, tu dois faire la comparaison avec la **boite C**. En effet, seule l'humidité doit varier entre les deux boites.

## Bilan p. 84

**1** *Souligner :* voudra – proposera – aura **2 a)** habiterons ; **b)** fera **3 a)** lieu **b)** cause **c)** temps
**4** Triangle n° 1 : rectangle. Triangle n° 2 : équilatéral. Triangle n° 3 : quelconque. Triangle n° 4 : isocèle.
Remarque : un triangle équilatéral est aussi isocèle. On n'a coché qu'équilatéral pour le triangle 2 car c'est ce qui le caractérise le mieux.
**5** $\widehat{C} = 70°$ ; $\widehat{B} = 70°$.
*Explication :* BAC étant un triangle isocèle, on sait que $\widehat{C} = \widehat{B}$.
Or $\widehat{A} + \widehat{B} + \widehat{C} = 180°$ donc $40 + (2 \times \widehat{B}) = 180$.
On calcule $(2 \times \widehat{B}) = 180 - 40$, d'où $\widehat{B} = 140 : 2 = 70$.
*Conclusion :* $\widehat{B} = \widehat{C} = 70°$.
**6**

| | les diagonales ont le même milieu | les diagonales ont la même longueur | les diagonales sont perpendiculaires |
|---|---|---|---|
| Dans un parallélogramme... | × | | |
| Dans un rectangle... | × | × | |
| Dans un losange... | × | | × |
| Dans un carré... | × | × | × |

**7 a)** is eating ; **b)** is trying ; **c)** is talking ; **d)** are running
**8** Don't forget! We're going to the cinema tomorrow.
**9 b.** et **c.**
**10** Les végétaux annuels résistent au froid de l'hiver grâce à leurs **graines**.

# Corrigés

## SÉQUENCE 9 ➔ p. 85 à 94

### Teste-toi ➔ p. 85

**1** a. **2** b. **3** vrai

**4**

a) Explication : il y a 40 cases; 50 % du rectangle représentent la moitié, donc tu dois colorier 20 cases en bleu (quel que soit leur emplacement).

b) 10% de 40 = 40 × $\frac{10}{100}$ = 4. Tu dois donc colorier 4 cases en gris.

**5** 1 kg coute $\frac{9}{2}$ = 4,50 €. **a)** 18 € ; **b)** 22,50 €

**6** there are **7** between

**8** La densité de population

**9** De l'eau, des minéraux, des sucres, des matières grasses et des protéines.

### Français **Rêves d'enfant** ➔ p. 86

**1** Ce texte est écrit en vers libres (ou irréguliers).

**Remarque :** les vers libres n'ont pas tous le même nombre de syllabes ; à l'inverse, les vers réguliers ont toujours le même nombre de syllabes. Dans ce texte, on voit bien que les vers ont des nombres de syllabes différents. Exemple : *Les gros cartables vers l'école courent* (8) / *De grammaires lourds* (4)

**2** L'histoire se passe principalement dans une **cour de récréation** (l. 28).
On repère aussi où se passe l'histoire grâce au champ lexical de l'école : « cartables » (v. 9) ; « trousses » (v. 13) ; « professeur » (v. 22) ; « préau » (v. 26).

**3** **a)** Le mot « bus » (v. 6) rime avec **puce** (v. 8).
**b)** Le terme « courent » (v. 9) rime avec **lourds** (v. 10).
**c)** L'adjectif « chimique » (v. 18) rime avec **mathématiques** (v. 20).

**4** Il faut aller à la ligne quand cela permet aux rimes de ressortir :
« Éclate sous une casqu**ette**
À l'envers sur la t**ête**
Rose mala**bar**
Dedans des rêves de pop st**ar**
Les rangez-**vous**
Les calmez-**vous**
Les gros car**tables**
Balourdés sur les **tables** »

**5** Entourer : « Et puis des rêves de pop star » (v. 12, 24, 34, 46).

**6** **a)** Les enfants [jouent] toute la journée dans la cour de récré. Un seul verbe est entouré : la phrase est **simple**.
**b)** Rachid [se fait] insulter en turc, Momo [se prend] un uppercut. Deux verbes sont entourés : la phrase est **complexe**. Les deux propositions sont séparées par une virgule : elles sont juxtaposées.
**c)** Les enfants qui [jouent] dans la cour [doivent] bientôt rentrer en classe. Deux verbes sont entourés : la phrase est **complexe**. Parmi les deux propositions, l'une est la principale et l'autre est une proposition subordonnée (introduite par *qui*).

**7** Le texte souligné contient **trois propositions**.
La première est « deux tresses blondes bataillent pour attraper le bus » ; la deuxième est « volent une pomme au passage » et la troisième « révisent une leçon d'un saut de puce ».

Repère les verbes conjugués pour dénombrer les propositions. Ici, il y a trois verbes conjugués, donc trois propositions.

### Maths **À fond la glisse** ➔ p. 88

**1** **a)**

| Piste | noire | bleue | verte | rouge |
|---|---|---|---|---|
| Distance sur la carte (en cm) | 4 | 3 | 2 | 1 |
| Distance dans la réalité (en km) | **10** | **7,5** | 5 | **2,5** |

× 2,5

**b) Oui ; en multipliant par 2,5.**

**2** **a)**

| Nombre de leçons | 2 | 4 | 10 |
|---|---|---|---|
| Prix en € | 30 | 50 | 100 |

**b)** Avec le forfait de 2 leçons, le prix d'une heure se calcule par **30 : 2 = 15 €**.
Avec le forfait de 4 leçons, le prix d'une heure se calcule par **50 : 4 = 12,50 €**.
Avec le forfait de 10 leçons, le prix d'une heure se calcule par **100 : 10 = 10 €**.
**c)** Conclusion : le prix à payer **n'est pas** proportionnel au nombre d'heures de leçons.
**d)**

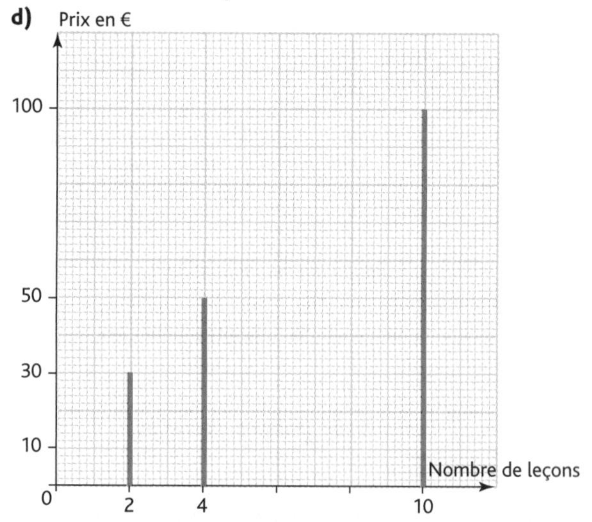


**3** Les Sprint : 60 % de 180 = $\frac{180 \times \mathbf{60}}{100}$ = **108°**

Les Wizz : 40 % de 180 = $\frac{180 \times \mathbf{40}}{100}$ = **72°**

Tu remarqueras que :
- 60 % + 40 % = 100 % (c'est-à-dire la totalité) ; donc les planches Wizz représentent bien 40 % du total.
- 108° + 72° = 180°, c'est-à-dire la mesure de l'angle plat.

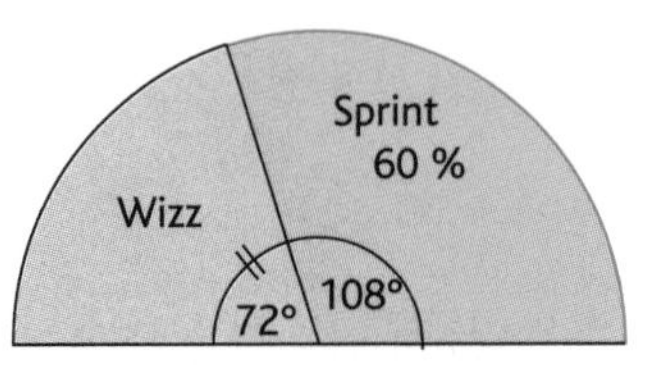


DÉFI VACANCES

Pour chaque objet, calcule d'abord le montant de la remise à l'aide du pourcentage indiqué, puis soustrais-le du prix initial pour obtenir le prix final. Tu obtiens les résultats suivants :

– pour les skis, le montant de la remise est : $90 \times \frac{50}{100} = \mathbf{45}$ ; le prix final est donc : 90 – 45 = **45**.

Tu peux aussi penser que 50 % de 90, c'est la moitié de 90 donc c'est 45.

– pour la combinaison, le montant de la remise s'élève à : $60 \times \frac{40}{100} = \mathbf{24}$ **€**. Le prix final est 60 – 24 = **36 €**.

– pour le snowboard, le montant de la remise est : $50 \times \frac{20}{100} = \mathbf{10}$ **€**. Le prix final est 50 – 10 = **40 €**.

## Anglais Ballooning in New Zealand! p. 90

1 **a)** Tu peux voler tôt le matin : ***right. Flights are at dawn***: les vols ont lieu à l'aube.
**b)** Tu peux commencer un vol à l'heure du déjeuner : ***wrong***. ***Flights are at dawn***: les vols ont lieu à l'aube.
**c)** Tu peux voler en janvier, février et mars : ***right***. ***All year round*** : toute l'année.
**d)** Tu peux voler le samedi et le dimanche : ***right***. ***Seven days a week*** : sept jours sur sept.

2 **a)** Australia ; **b)** New Zealand ; **c)** Great Britain.
Ces vols ont lieu en **Nouvelle-Zélande** : ***New Zealand***.

3 **a)** Les mots ***sunrise*** et ***dawn*** évoquent le **matin**.
*Sunrise* signifie : lever du soleil et *dawn* signifie : aube.
**b)** L'expression qui fait référence à la **météo** est ***weather permitting*** puisque cela veut dire : si le temps le permet.

4 **a)** in ; **b)** on ; **c)** under ; **d)** behind

5 **a)** on ; **b)** there are ; **c)** above

6 **a)** there are ; **b)** Is there ; **c)** Are there ; no, there aren't

## Géographie La variété des formes d'occupation spatiale p. 92

1 Déplacement : **mobilité**. De la ville : **urbain.** Habitations éloignées les unes des autres : **habitat dispersé**.

2 Doc. 2 > doc. 3 > doc. 1

3 **Doc. 1** : b et e ; **doc. 2** : c, d et f ; **doc. 3** : a, c et d.

## Sciences et technologie Le yaourt, utilisation de microorganismes p. 93

1 Le contenu du pot A change de consistance car les **ferments lactiques** transforment le sucre du lait en acide qui fait cailler le lait.

2 Un yaourt nature a un gout acidulé par rapport au lait.

3 Tu constates dans les pots A et B un changement de consistance. Dans le pot A, on a ajouté des ferments lactiques au lait alors que dans le pot B on a mis seulement une cuillère de yaourt dans le lait. Cela prouve que **des ferments lactiques sont présents dans la cuillère de yaourt**.

4 Dans le pot C, le lait ne change pas de consistance car **la température trop élevée a tué les ferments lactiques**.

## Bilan p. 94

1 Phrases simples : **a**, **c**, **d**, **g** ; phrases complexes : **b**, **e**, **f** ;
2 Propositions coordonnées : **e** et **f** ; proposition juxtaposée : **b.** 3 Dans l'ordre : manteau, pluie, broderie, beau.

4

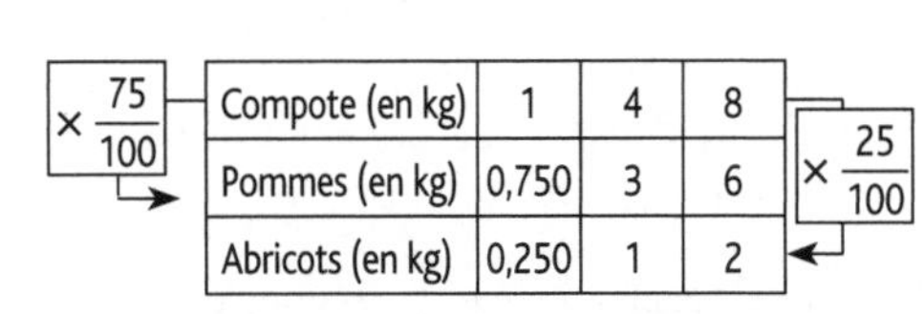

| Compote (en kg) | 1 | 4 | 8 |
|---|---|---|---|
| Pommes (en kg) | 0,750 | 3 | 6 |
| Abricots (en kg) | 0,250 | 1 | 2 |



5 **a)** 0,70 € ; **b)** 2,80 € ; **c)** 4,20 € ; **d)** 1,40 €

6 – **Are there** any wild monkeys in New Zealand?
– No, **there aren't**. But **there are** many unique native insects, birds, lizards and frogs.
– Is Nico the gorilla the most dangerous animal in the park?
– No, **there is** also a hippo!

7 **a)** in **b)** under **c)** behind

8 Habitat nomade.

9 Les **aliments** sont constitués dans des proportions très variables d'**eau**, de **minéraux**, de **glucides**, de **lipides** et de **protéines**.

# SÉQUENCE 10 ➔ p. 95 à 104

## Teste-toi ➔ p. 95

**1** patienterais **2** Tu dirais, ils diraient **3** **À barrer** : collage

**4** **a)** 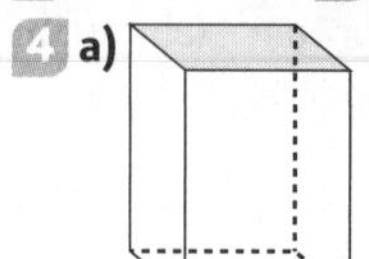 **b)** 6 ; **c)** 12 ; **d)** rectangles

**5**

| | 1 000 L | 100 L | 1 L | 1 cL | 1 mL |
|---|---|---|---|---|---|
| 1 dm³ | | | × | | |
| 1 m³ | × | | | | |
| 1 cm³ | | | | | × |

**6** Yesterday, Jill came to visit us. **7** Did

**8** Édit de Milan

**9** Faux

## Français La patience, ça s'apprend ! ➔ p. 96

**1** **a)** Faux – **b)** Vrai – **c)** Faux

**2** Ce texte **permet d'apprendre des choses sur soi et sur les autres.**

**3** **a)** il devrait, on aimerait (devoir, aimer) : ils n'appartiennent pas au même groupe étant donné leur infinitif. **b)** Il devrait : il devait, il devra – on aimerait : on aimait, on aimera. Le futur et le présent du conditionnel ont le même radical (*devr-*, *aimer-*) et l'imparfait et le présent du conditionnel ont la même terminaison (*-ait*).

**4** On **pourrait** apprendre à respecter notre temps et aussi celui des autres.
Mais lui, il **aurait** peut-être besoin de réfléchir un peu avant de nous répondre.

**5** **a)** patienter, **b)** patient, **c)** impatience, **d)** patiemment.

**6** À titre d'exemples : temps (nom) : contretemps (nom), tempérer (verbe) ; apprendre (verbe) : apprentissage (nom), réapprendre (verbe) ; vieux (adjectif) : vieillesse (nom), vieillir (verbe).

## Maths En pleine forme ! ➔ p. 98

**1**

| | Pavé droit | Cube | Prisme droit |
|---|---|---|---|
| Enceinte | × | × | |
| Coffret cadeau | × | | |
| Tente | | | × |

**2** **a)**

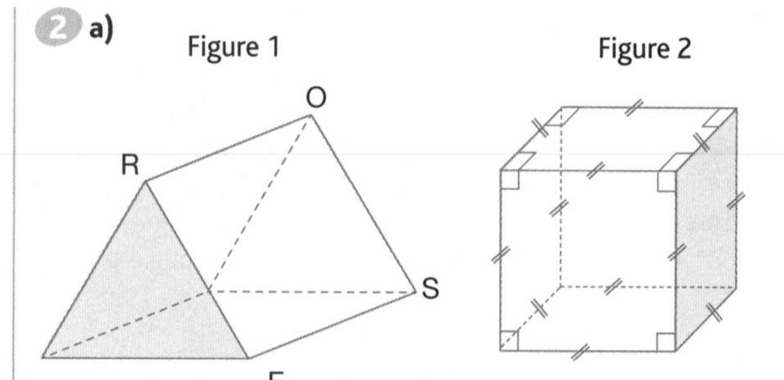


**b)** Dans la réalité, la face ROSE est un **rectangle** ; l'angle $\widehat{ESO}$ mesure donc **90°**.
L'arête [ES] est **perpendiculaire** à l'arête [SO].
**c)** Les 6 faces sont des carrés : tous les angles de chaque face sont droits.
Vérifie que tu as placé correctement les codages d'angles droits en te reportant à la figure 2 ci-dessus.
**d)** Les 12 arêtes ont la même longueur. Vérifie que tu as placé correctement les codages d'égalité de longueur en te reportant à la figure 2 ci-dessus.

**3** **a)** $V = 40 \times 30 \times 20 = 24\,000$ cm³.
**b)** 1 L = 1 000 cm³ donc V = 24 L, c'est la contenance du carton.

Tu peux aussi placer 24 000 dans le tableau d'unités.

**c)** Voici le dessin que Marion obtient :

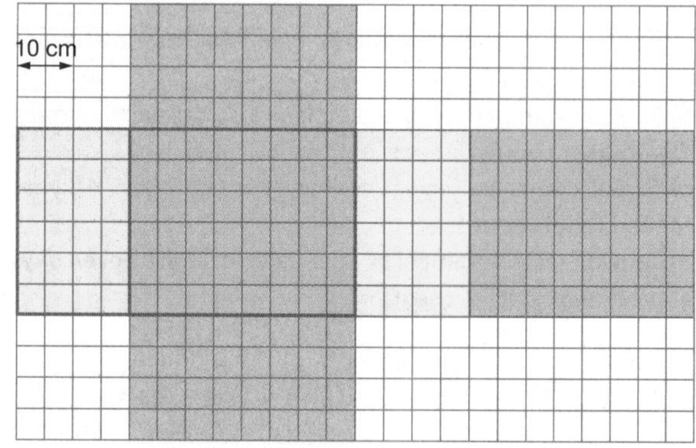


Sur son dessin, tu peux remarquer qu'elle a colorié de la même couleur les faces qui sont parallèles quand le carton est assemblé.

**DÉFI VACANCES**

Voici la position correcte des points sur le patron.

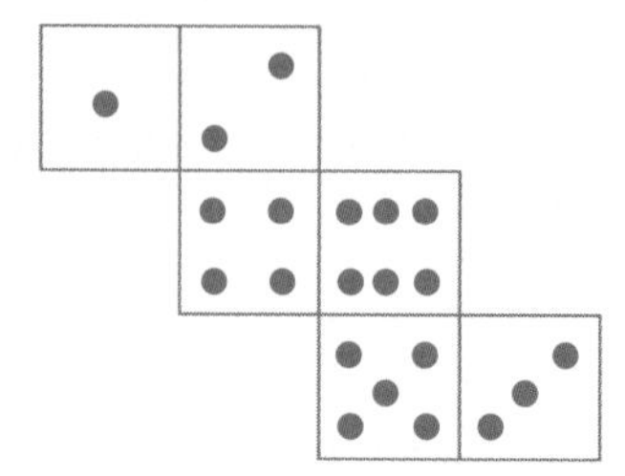

Afin de ne pas te tromper, tu peux dessiner le patron du dé, le découper, l'assembler, marquer les points puis l'ouvrir !

## Anglais I swam with dolphins! p. 100

**1** **a)** Il faut cocher la réponse **d** : ***dolphins***.
C'est le seul mot proposé qui est cité dans le texte (l. 4 et 9). *A shark* est un requin, *a whale* une baleine et *a seal*, un phoque.

**2** **a)** She secured her mask and snorkel. → 4
**b)** The woman was on a beautiful white-sand beach. → 1
**c)** She got on the boat. → 2
**d)** She swam with dolphins. → 5
**e)** She tumbled into the ocean. → 3

**3** **a)** They were on holiday in Kenya.
**b)** They visited the country.
**c)** They saw Kilimandjaro.
**d)** They didn't take any photos of sharks.

Pour conjuguer un verbe à la **forme négative du prétérit**, on emploie l'auxiliaire ***didn't*** **suivi de la base verbale** du verbe.

**4** do → did → faire
have → had → avoir
play → played → jouer
be → was/were → être
take → took → prendre

**5** **a)** We had lunch at home.
**b)** I was not (*ou* wasn't) tired.
**c)** We did not (*ou* didn't) see many elephants.
**d)** I talked to John.

**6** **a) What time did you take the train?** I took the train at 10 o'clock.

Attention à bien respecter l'**ordre des mots d'une question :** pronom interrogatif + auxiliaire + sujet + verbe.

Il est possible de remplacer *what time* (à quelle heure) par le pronom interrogatif *when* (quand).
**b) Where did they land?** They landed in Nairobi, the capital of Kenya.

## Histoire Des chrétiens dans l'Empire romain p. 102

**1** B : Édit de Milan (313) – C : Christianisme, religion officielle (380) – A : Mort de Jésus (vers 30).

**2** **À souligner :** Constantinus (des deux côtés de la tête).

**À entourer** (symboles chrétiens) : le chrisme à gauche du casque et la croix au-dessus de l'épaule.

**3** Oui, il se fait représenter avec les symboles chrétiens et a autorisé cette religion.

## Sciences et technologie Les sources et les formes d'énergie p. 103

**1** **a)** 4 ; **b)** 3 ; **c)** 2 ; **d)** 1

**2** Colorier en vert : l'éolienne (vent), le bois, le barrage (eau), le panneau solaire photovoltaïque (soleil).
Colorier en rouge : l'usine de gaz, l'usine nucléaire (uranium), le charbon, le forage d'exploitation du pétrole.

## Bilan p. 104

**1** réfléchiraient **2** je viendrais ; vous viendriez
**3** **À barrer :** mercerie **4** Préfixe : *sur* ; suffixe : *-tion*
**5** **6**

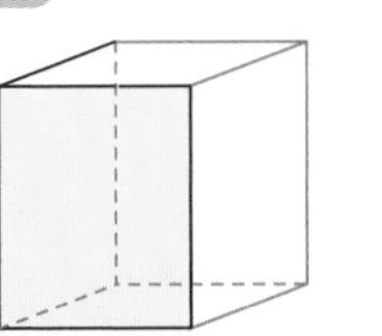
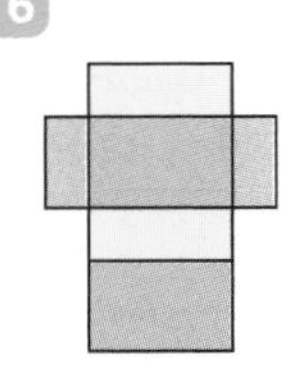
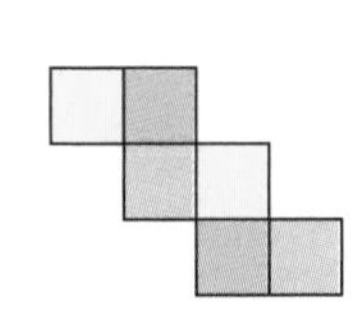

**7** 2 dm = **20** cm et 0,15 m = **15** cm ; V = **20 × 8 × 15** ; V = **2 400** cm³.
**8** Dear Paul, Thank you for your card. Yesterday, I **went** shopping with Mum. It **rained** all afternoon! So we went to a café and we **had** chocolate cake. That **was** nice! We **didn't buy** much, but I **enjoyed** the day! Love from Sandra
**9** **À barrer :** today, tomorrow.
**10** **Est un monothéisme** et **a été persécuté**.
**11** **a)** 3 ; **b)** 1 ; **c)** 2

# Verbes irréguliers

| | Infinitif | Prétérit | Participe passé | Traduction |
|---|---|---|---|---|
| B | to be | was / were | been | être |
| | to become | became | become | devenir |
| | to begin | began | begun | commencer |
| | to break | broke | broken | casser |
| | to bring | brought | brought | apporter |
| | to buy | bought | bought | acheter |
| C | to choose | chose | chosen | choisir |
| | to come | came | come | venir |
| | to cost | cost | cost | couter |
| D | to do | did | done | faire |
| | to drink | drank | drunk | boire |
| | to drive | drove | driven | conduire |
| E | to eat | ate | eaten | manger |
| F | to fall | fell | fallen | tomber |
| | to feel | felt | felt | sentir, éprouver |
| | to find | found | found | trouver |
| | to forget | forgot | forgotten | oublier |
| G | to get | got | got | obtenir |
| | to give | gave | given | donner |
| | to go | went | gone | aller |
| H | to have | had | had | avoir |
| | to hear | heard | heard | entendre |
| K | to know | knew | known | savoir, connaitre |
| L | to learn | learnt | learnt | apprendre |
| | to leave | left | left | laisser, quitter |
| | to lose | lost | lost | perdre |
| M | to make | made | made | faire, fabriquer |
| | to meet | met | met | (se) rencontrer |
| P | to pay | paid | paid | payer |
| R | to read | read | read | lire |
| | to ring | rang | rung | sonner |
| | to run | ran | run | courir |
| S | to say | said | said | dire |
| | to see | saw | seen | voir |
| | to send | sent | sent | envoyer |
| | to sit | sat | sat | être assis |
| | to sleep | slept | slept | dormir |
| | to speak | spoke | spoken | parler |
| T | to take | took | taken | prendre |
| | to teach | taught | taught | enseigner |
| | to tell | told | told | dire, raconter |
| | to think | thought | thought | penser |
| U | to understand | understood | understood | comprendre |
| W | to wake | woke | woken | (se) réveiller |
| | to win | won | won | gagner |
| | to write | wrote | written | écrire |

**Conception graphique intérieure :** Élise Launay
**Conception graphique couverture :** Allright
**Iconographie :** Gaëlle Mary, Juliette Barjon
**Mise en pages :** Facompo

**Schémas :** Renaud Scapin : p. 13. Domino : p. 23. Laurent Blondel/Corédoc : pp. 53, 33, 83.
**Cartes :** AFDEC pp. 12, 32, 73.
**Illustrations :**
Laetitia Aynié : pp. 37, 56, 57, 66, 46, 77.
Alexandre Bonnefoy : pp. 9, 19, 29, 39, 49, 59, 69, 79, 89, 99.
Patrick Chenot : pp. 12, 13, 22, 23, 32, 33, 42, 43, 52, 53, 62, 63, 72, 82, 83, 93, 102, 103.
Pascal Gauffre : pp. 58, 98.
Bernard Grandjean : pp. 40 (d), 91.
Caroline Hesnard : pp. 11, 21, 30, 40 (a, b, c), 51, 60, 61, 71, 81, 101.
Marie-Noëlle Pichard : pp. 26, 27, 87.

**Crédits photos :**
p. 5 : © Fotolia / AndyEmel ; p. 6 : Coll. Christophe L ; p. 7 : © La Martinière Jeunesse ; p. 8 : ©Shutterstock / Sergei Bachlakov ; p. 10 : © Adobe Stock / Foap.com ; p. 15 : © Fotolia / vlad61_61 ; p. 16 : Coll. Christophe L ; p. 17 : Rue des Archives/ BCA ; p. 18 : COSMOS/ Focus/ H&Motter Eisner ; p. 20 : © 1997 Ziggy and Friends, Inc. Reprinted with permission of Universal Press Syndication. All rights reserved ; p. 21 : © Shutterstock / Sinelev ; p. 22 : Hervé Lewandowski/RMN-Grand Palais ; p. 25 : © Fotolia / Pixeltheater ; p. 28 : © Istock / Nikada ; p. 30 : © Adobe Stock / anaumenko ; p. 35 : © Fotolia / Ivonne Wierink ; p. 36 : Titeuf, La Loi du Préau, tome 9 © Glénat Éditions ; p. 38 : © Shutterstock / A_Lesik ; p. 40 : nancy@nancyney.com ; p. 41 : © Shutterstock / Dja65 ; p. 43g : Fotolia / Tyler Olson ; p. 43d : © 123rf / Gilles Poire ; p. 45 : © Fotolia / Vitas ; p. 46, 47 : Coll. Christophe L ; p. 48 : © Shutterstock / dotshock ; p. 50 : © 2002 Harrell. Dist. By Universal Press Syndication. Reprinted with permission. All rights reserved ; p. 53 ht : Hervé Conge ; p. 53 bas : © Burbidge / SPL / Cosmos (reprise page 111) ; p. 55 : © Fotolia / Leonid Tit ; p. 58 : © Adobe Stock / scaliger ; p. 60 : © Adobe Stock / EpicStockMedia ; p. 62 : Mega Construcciones. net ; p. 63bd : DR ; p. 63 : bouteille eau © Wikipedia / afouchardiere, sac plastique : DR, yaourt : DR, brique lait © Shutterstock/ Maxx-Studio, conserve © Shutterstock/photka, cartons © Shutterstock/guntun_cr, bouteille verre © Shutterstock/360b, polystyrene © Shutterstock/Bravissimos, paquet biscuits © Shutterstock/gcpics ; p. 65 : © Fotolia / Photocreo ; p. 67 : © Fotolia / Sascha Burkard ; p. 68 : Service communication – Mairie d'Arcachon ; p. 70 : Coll. Christophe L ; p. 70 crayons : © Shutterstock / Lukas Gojda ; p. 72 : Fotolia / Proma ; p. 75 : © Fotolia / Thierry Ryo ; p. 78 : © Istock / RomanKhomlyak ; p. 80, 81 : © 1987 Watterson. Dist. By Universal Press Syndication. Reprinted with permission. All rights reserved ; p. 82 : théâtre © Fotolia / Fabioberti.it, temple © Fotolia / Mc Carony, arc © Fotolia / Renoji ; p. 82 thermes © www.paris.culture.fr ; p. 82 Timgad : Georg Gerster / Gamma-Rapho ; p. 85 : © Fotolia / RS Sole ; p. 86 : © Shutterstock / Tong_stocker ; p. 88 : © Adobe Stock / framedbythomas ; p. 90 : David Wall ; p. 91 : © Adobe Stock / 169169 ; p. 92hg : Fotolia / Lakeviewimages ; p. 92hd : DR ; p. 92bd : Fotolia / Haider Y. Abdulla ; p. 93 : DR ; p. 95 : © Fotolia / Freesurf ; p. 98 : © Adobe Stock / look! ; p. 100 : Eyedea / Gamma Rapho / Hoa Qui / Photobank Yokohama ; p. 102 : Staatliche Münzsammlung, München ; p. 103 : éolienne © Shutterstock / svetok30, gaz © Shutterstock / Christian Lagerek, nucléaire © Shutterstock / Martin Lisner, bois © Shutterstock / Mindok, charbon © Shutterstock / AdamJ, barrage © Shutterstock / Photo Works, pétrole © Shutterstock / Christopher Boswell, voltaïque © Shutterstock / IrinaK.



N° éditeur : 10261649 – JPM – mars 2020
imprimé en Italie par ELCOGRAF